少女小説を
ジェンダーから
読み返す

『若草物語』『秘密の花園』『赤毛のアン』が
伝えたかったこと

木村民子

亜紀書房

少女小説をジェンダーから読み返す

――『若草物語』『秘密の花園』『赤毛のアン』が伝えたかったこと

目次

第2章　『小公子』『小公女』から『秘密の花園』へ

第3章　「アン」と「エミリー」

はじめに

「少女小説」というと、あなたは何をイメージされるでしょうか。

吉屋信子[*1]の小説『花物語』や中原淳一の挿絵[*2]などに代表される、日本独特の耽美的、抒情的な「少女小説」を思い出されるかもしれません。大正期から昭和初期に人気を博した一連の作品は、まさしく少女たちを夢心地に誘い、少女のために書かれた少女の小説だったといえます。そうした「少女小説」は、将来結婚し家庭に入る前の、純真無垢な少女たちが織りなす少女同士の友情を主に描きました。読者の少女たちは「少女小説」の中の、社会から閉ざされた束の間の世界を享受していたのです。たとえ「少女小説」が明治期からの道徳的で教訓的な色彩を帯びていたとしても、少女たちの多くは素直に受け入れていたのでしょう。

そのような日本の「少女小説」に対し、戦後翻訳された海外の児童文学を「少女小説」

とみなす人も少なくありません。私にとっても、少女時代の――あの頃読んだ――『若草物語』、『小公女』、『秘密の花園』、『赤毛のアン』などの作品は思い出深く、それこそが「少女小説」だったのです。これらの作品の多くは、ストーリーを追うだけの抄訳《しょうやく》本や子ども向けに書かれたダイジェスト版であっても、わくわくしながら読んだものでした。

ヒロインたちは、これまでの日本の「少女小説」における少女像とは明らかに異なっていました。ジョー、メアリー、アン……男勝りで活発で、明るく前向き、自分の力で困難を乗り越えようとする強さや賢さも魅力でした。そして広大な自然を背景に、学校生活や愛情豊かな家庭の日常が描かれていました。厳密に言えば、このような海外の児童文学を「家庭小説」と類別する識者もいます。

それでは改めて「少女小説」とは何でしょうか。

『〈少女小説〉ワンダーランド』の著者の菅聡子は「少女を読者として想定して書かれた作品」とゆるやかに定義しています。もちろん、児童文学の一ジャンルともみなされますし、今日ではライトノベルや、ジュニア小説と同一視されることもあるようです。

いずれにしろ、女性の作家による少女のための少女の物語であることに違いはないでしょう。『若草物語』の作者ルイザ・オルコットも、出版社からの依頼により、「少女のために書く」ことを強く意識していました。当然「少女小説」の作家としては、ただ少女読者を喜ばせるようなストーリーばかりではなく、少女たちへのメッセージを潜ませていたと考えられます。

海外の児童文学について二人の批評家がまとめたフェミニズム評論『本を読む少女たち』（シャーリー・フォスター、ジュディ・シモンズ著　川端有子訳）では、女性作家による「少女小説」は「すべてが圧倒的に女性が多数を占める読者のために書かれていること、すべてが少女をどうとらえるかという問題や、少女のジェンダー認識がどう発達するかという問題に直接かかわっている」と述べています。

この「ジェンダー」とは、「先天的な生物学的性差であるセックスに対し、後天的に刷り込まれた社会的、文化的性のありよう」のことです。「男はこうあるべき」「女はこうあるべき」という社会的規範であり、「男は仕事、女は家事・育児」というように性別で役割分担を固定させる意味合いもあります。

他方フェミニズムとは、「ジェンダー」に基づく性差別や男性優位の社会を女性の側から批判的にとらえ、男女平等（ジェンダーイクオリティ）をめざす運動と私はとらえています。まさに上野千鶴子が言うように「女らしさからの解放」です。本書でとりあげる一九世紀から二〇世紀初頭の欧米諸国を中心とする女性（婦人）参政権運動は、フェミニズム運動の第一波でした（その後、フェミニズムは時代の変化によりいくつかの波があり、それぞれの特徴をあらわしていますが、ここでは触れないことにします）。

日本でもこのところ急速に「ジェンダー」（以下「 」なしでジェンダーと記す）という言葉が周知されるようになり、理解も深まってきたように思われます。その視点で今、「少女小説」を読み返してみると、私がこれまで見過ごしていたメッセージが数多くあることに気づきました。

絵本研究者の中川素子が『女と絵本と男』の中で嘆くように「ジェンダーは、堂々と姿を現さなくても、絵本の中に確実に潜んでいる」のです。むろん絵本だけでなく、児童文学でも性差「男らしさ・女らしさ」は無自覚に肯定され描かれることが少なくありません。しかも残念ながら、これまで日本の子どもの本にはジェンダーへの敏感な視点、あるいはフェミニズムが欠如していることを、問題視して来なかったといえます。

また、先の『本を読む少女たち』では、児童文学はさらに「とりわけ作者自身の個人的な経験が反映されている」し、「作家の人生とその創造的着想の源泉が非常に近いことがわかる」という見解も示しています。女性の作家が少女のために書いた作品には、特に児童文学においては、作家の人生と密接な関係があることは、指摘のとおりです。自立をめざしたオルコットはジェンダーに反発し、ジョーというヒロインを創りました。バーネットは波乱に満ちた人生の中で、なお英国生まれのアイデンティティーを失わず、新しいヒロインを登場させました。モンゴメリは『赤毛のアン』に、ジェンダーに迷走する自分自身を投影させたのです。

しかも、当時の一九世紀から二〇世紀初頭は、欧米諸国では奴隷制度反対の運動から起こった南北戦争や、婦人参政権獲得をめざす女性運動の台頭、さらに続く第一次世界大戦など、変革と激動の時代であったといえます。また、経済活動も活発になり、教育の普及により印刷出版業も盛んになり、作家という職業も現れました。

しかし、強固な男性優位社会の中で、依然として女性作家は貶《おとし》められていました。それでも、彼女たちは生活費を得るために懸命に書き続け、職業作家としての地位を確立していったのです。そうして、先駆者として富と栄誉を得たにもかかわらず、女性に期待される役割を果たそうとすればするほど、彼女たちの苦悩はさらに深くなっていったのです。

作者の生涯と時代的背景を無視しては「少女のための文学」は語れません。その女性作家たちの言葉は、作品の中でヒロインの少女たちに受け継がれ、時代を超えて読者の少女たちを元気づけるのです。

本書では戦後生まれの私がかつて夢中になった「少女小説」の三人の女性作家たちの苦難に満ちた一生を追いながら、彼女たちが生み出した不朽の名作とジェンダーとの接点を探ろうと試みました。彼女たちが時代に抗いながらも、時には順応するその足跡を辿ることにより、作品の意図がより鮮明に浮かびあがってくるに違いないからです。手探りで始めたこの無謀な試みは、私の浅薄《せんぱく》な知識では思った以上に困難な仕事でしたが、この三人の不屈の女性作家が、いかに生き、いかに書いたかを知り、それらの作品を読み解く過程は、予想外の発見、真実を知る歓びに満ちていました。

本書を読んでくださった読者の皆さんが、改めてこれらの「少女小説」を読み返し、新たな発見やメッセージを受け止めていただければ、これ以上の喜びはありません。

第1章

『若草物語』

反抗の叫び――ルイザ・メイ・オルコット

次女ジョーに憧れて

『若草物語』は、いつの時代も少女たちに夢と勇気を与え続けてきました。私も一〇代の頃の愛読書は第一番に『若草物語』でした。

戦後の貧しかった私たちにとって、古き良きアメリカの素敵な生活は、憧れの的でした。たとえマーチ家が貧乏でも、家の中には暖炉の薪がパチパチとはじけていて、年頃の娘たちはパーティーに着ていくドレスに悩んでいるのです。優しいお母様を中心にした敬虔なクリスチャンファミリーは、我が家とはまったく異なる世界でしたが、折々の楽しい出来事や数々の事件に、自分がその場に一緒にいるかのように、心をときめかせていたものです。時にはぶつかりあいながらも仲のよい四人姉妹の、個性豊かな性格も魅力的でした。とりわけ私が心惹かれたのは、活発で男勝りの主人公・次女ジョーだったことは言う

までもありません。
作者ルイザ・メイ・オルコットは『若草物語』の中で自分が育った家庭や出来事を克明に描き、ジョーに自身を投影させていました。実際、『ルイーザ・メイ・オルコットの日記――もうひとつの若草物語――』を読むと、『若草物語』のメグは、ルイザの実の姉である長女のアンナ（別名ナン）、ベスは実の妹の三女のエリザベス（別名リジー）、エイミーは実の妹の四女アビー（別名メイ）がモデルとなっていることがよくわかります。このマーチ家の四姉妹は実在のオルコット家の姉妹にあまりに似通って描かれているため、時には、物語世界と作者の現実を混同しそうなほどです。（この章では作者オルコットをルイザと表す）
でも、この『ルイーザ・メイ・オルコットの日記』（以後、日記と表記する）を丹念に追っていくと、ある時期から、ルイザは作家としての苦難の道を突き進み、ジョーとは訣別していることがわかります。日記には、ルイザ自身が家族を背負っていた宿命、肉親や親しい人びとの相次ぐ死に対する深い喪失感などが正直に吐露《とろ》されていたのです。
さて、『若草物語』（岩波少年文庫版・海都洋子訳）を改めて読み返してみると、子どもの頃は、それほど気にも留めなかった表現に気づかされます。たとえば、ジョーの男に生まれたかったという願望、女らしさを否定する言葉、今でいうジェンダーについての異議申し立てです。当時の、男性優位の社会風潮や女性差別の状況に異を唱える名言も数々見られるのです。一九世紀の激動の時代に、『若草物語』に描かれたこれらの表現に目を向けなければ、ルイザの真意はわかりません。しかも、ルイザ自身はその渦中に飛び込んで抗い、もがいていたともいえるのです。

ここでは、ルイザが『若草物語』に込めたもうひとつのメッセージを、日記に記されたルイザの本音や思いなどと照らし合わせながら、解き明かしていこうと思います。

個性的な両親

ルイザの母親アビゲイル（別名アッバ）は、『若草物語』のマーチ夫人のモデルと言われています。でも、実際のアッバは骨太でがっしりした体格。肖像写真では、ヴィクトリアン・ファッション盛んな当時のきゃしゃな美人とはほど遠く、見るからに意志の強そうな表情をしています。

ちなみにルイザも、母親と同じく背が高く体つきは頑丈だったと言われていますが、黒褐色の豊かな髪を持ち、鋭い眼差しが印象的です。ルイザ一八歳の日記には「結婚してからの母がどんなに苦労してきたか、あちこち移り住み、心配ごとが絶えなかった。……母はほんとうに勇敢で立派な女性だと思う」と、母を気遣いながらも讃えていました。ルイザは少女の頃から、外見ばかりでなく母アッバの影響を強く受け、女性の先輩として敬愛していたことがうかがわれます。

『ルイザ　若草物語を生きたひと』の作者ノーマ・ジョンストン[*1]は、ルイザの日記は言うまでもなく、ルイザや家族の書簡や他の作者による伝記、批評家、研究者の論説なども入念に目を通して、魅力的なルイザ・メイ・オルコット像を表しました。そして、ルイザが生まれる前の、ルイザも知らない両親の半生をもドラマチックに紹介しています。

それによると、母親アッバはボストンの名門メイ家の出身でした。メイ家の祖先は一七世紀半ばにイギリスから渡ってきたポルトガル系ユダヤ人であったようです。『若草物語』の「マーチ伯母」のモデルは、メイ家のドロシー・ハンコックだと言われていますが、独立宣言に署名したマサチューセッツ州の最初の州知事ジョン・ハンコックの妻となった女性です。このハンコック伯母さん（アッバの大伯母）は資産家かつ長命で、一家に君臨したと言われています。

アッバの父親ジョーゼフ・メイ大佐は活動的で、若くして財をなしました。清教徒の上流階級の出だったドロシー・スーウェルと結婚し、三〇代になってからは慈善事業に力を入れ始めます。そして一九世紀初頭に盛んになってきた奴隷制廃止や女性の権利獲得などの社会改革運動を熱心に支援していました。

そんな両親の間に、アッバは一二人兄弟の末っ子として生まれました。父親の秘蔵っ子で、当時の女性としてはかなりの高等教育を受け、人文科学、自然科学を学び、将来は学者を夢見たというくらい不自由なく育てられました。また、ダンスの名手、チェスの名人でもあったそうです。しかし幼い頃から六人の兄弟姉妹の不幸な死に次々と遭い、病気がちの母親も亡くなってしまいました。その後父親が再婚すると、アッバは、実家には居づらくなってしまいます。しかも婚約していた男性が急死してしまい、否応なく「オールド・ミス」となってしまったのです。後のルイザの父親、エイモス・ブロンソン・オルコットとの運命的な出会いをしたのは、そのような境遇のときでした。

『若草物語』では四姉妹の父親は穏健な従軍牧師として描かれていますが、ルイザの父ブロンソンは、正反対の激しく直情型の人物でした。北イングランドの由緒ある家柄の出でしたが、家は貧しかったので、学校教育を受けたのはわずか四年間。家計を助けるために行商を始めます。次第に上流階級にも出入りするようになり、進歩的な街ボストンで反戦運動や教育改革の先頭に立つメイ牧師と親交を結ぶことになります。そしてブロンソンはそこで出会った牧師の妹アッバと恋に落ち、一八三〇年、二人は結婚しました。そのときアッバはすでに三〇歳になっていました。

ブロンソンは独学で哲学や革新的な教育思想を学び「子どもを中心に置いた教育と児童心理学」を標榜し、各地で学校を作り実践しましたが、どれも長続きはしませんでした。次第に「菜食主義、自己犠牲、簡素な生活を旨とする理想郷を夢見る」超越主義[*2]に目覚めます。そしてマサチューセッツ州ハーバード近くの農場で「フルートランズ（新しき楽園）」と称する家族共同体を、家族はもちろん友人たちと建設しましたが、これも失敗に終わったのでした。その後、いくつかの著作も評判とならず、多くの借金を抱え、傷心のブロンソンはたびたび講演旅行に出かけ、長く家を空ける暮らしを続けました。

結婚後のアッバはこのような夢想家で経済力のない夫を支え、温かい家庭を築こうと惜しみなく働き、社会活動にも力を尽くしたのです。

そんな両親のもとルイザはペンシルベニア州の田舎町で一八三二年一一月二九日、次女として生まれました。後にルイザは、二三歳のとき父親に宛てた誕生日祝いの手紙で次のように書き記しています。

「わたしは、うるさい声で泣く、浅黒い肌の赤ん坊でした。十一月の暗い日、この古くさい、いやな世の中に反抗の叫びをあげて生まれでると、長い戦いを始めたのです」

一家の稼ぎ手として

ルイザの「長い戦い」は、まず貧困との闘いでした。当時女性の職業としては、お針子やメイド、家庭教師くらいしかなく、ルイザも一八歳の頃から縫い物や教師などの仕事をして家計を助けていました。一八五〇年の日記に「わたしの収入」として原稿料「恋敵の画家たち」五ドル、針仕事で一〇ドル、学校の教師として五〇ドルと記しています。この頃から頻繁に新聞や雑誌に詩や小説を投稿して稼ぎ始めていたことがうかがわれます。

以後もルイザは日記に、原稿料や印税などの収入を家計簿のように余すことなくメモしていました。いつも貧乏で疲れ果てている母アッバを間近で見ていたルイザは、健気にも「わたしの夢は母のために落ち着いたすてきな家を持つこと。母に借金をさせたり、苦労をかけたりしないこと」と記しているのでした。

この夢を実現するため、ルイザの言う「金目当ての書き物」のおかげで、オルコット家は次第に経済的困窮から救われていくのです。

折しも、一九世紀初頭から南北戦争の間まで、アメリカの中流階級の女性作家たちは若い読者向けに、宗教的な背景を持つ教訓的な小説を多く書き、原稿料を稼いでいました。その小説は大方主人公が幾多の困難に出会いながらも、最後は幸せをつかむという内容で、読者をおおいに満足させていたようです。

他方ルイザは、相変わらずわずかな原稿料に「わが家はねずみみたいに貧乏」と嘆いていましたが、決して屈しませんでした。一八五四年に初めてラルフ・ウォールド・エマソン[*3]の娘エレンのために書いた『花のおとぎ話』がようやく出版されることになったのです。ルイザ二二歳の日記のメモを読むと「ブリッグズ氏が不誠実で、稿料はほんの少ししか払ってもらえなかった」と不満をあらわにしています。けれども翌年には「部数は千六百部。売れ行きが上々で評判もいいようだ」と、素直に喜んでいました。

一八五五年一月一日の日記には、一六歳の時に書いた小さな物語が、「今、お金と名声をもたらしてくれるなんて、とても誇らしく思う」と記しています。こうしてルイザは以後、職業作家としてロマンス物や、スリラー小説などにも手を拡げていったのでした。

翌一八五六年一〇月の日記に「わたしは服装こそ女だけれど、その下は男。男の子の気質を持って生まれた。働く気力も体力もあるとき、仕事がころがりこむのをただじっと待ってはいられない。だからわずかながらも備わっている物書きの才能を生かして、ふたたび身を立てることにした」と決心しています。この頃、ルイザはボストンで間借りした「自分だけの」屋根裏部屋で一人執筆に励んでいたのでした。一一月二九日の二四歳の誕生日には「わたしは作家だといったら、男性たちにからかわれたので、いつか有名になるわ、とつい口走ってしまった」とありますが、「できればそうなりたいけれど、他のもののほうが向いているかもしれない」と内心は揺れ動いている様子も見てとれます。

演劇好きなルイザは女優になる夢と『若草物語』のジョーのように作家になる夢を二つとも追いかけていましたが、書けばお金になることは大きな魅力だったにちがいありません。持ち前の反骨精神からめざすべき道を自ら選び始め、次第に作家としての自信が生まれつつあったのでしょう。

とはいえ、一二月には、「お金のためにせっせと頭を働かせて糸を吐き出し、蜘蛛のように生きていくのはもううんざり」とも言っています。後年、お金の苦労からは解放されても、「せっせと」書かなくてはならない宿命を予期していたかのようです。

それでもルイザは、別の日の日記に「屋根裏の窓辺にすわってひたすら書く身には、たとえ毎日わずかな時間でも、広くて立派な部屋で過ごせるのはうれしい。私は贅沢が大好きだから。だけど自由や自立のほうがもっとすてき」と、正直に記していました。

オルコット家をめぐる人びと

ところで、ルイザの母親アッバの母方の家系には進取の気風がありました。メイ家一族の激しい気性、「メイ家の血」は、父親譲りのアッバからルイザにも脈々と受け継がれていたようです。アッバは結婚後間もなく、クエーカー教徒でフェミニストの女性ルクリーシャ・モット[*4]と親しくなり、女性解放運動に目覚めていきました。慈善事業にも手を染め、家政婦の働き口を求める女性のために、ボストンに家政婦紹介所を開設しています。

父親エイモス・ブロンソンも、ボストン郊外のコンコードの町で当時の広範な文化、宗教、教育界の人びとと深く関わっていました。前述の著名な哲学者エマソンにはたびたび金銭的援助を受け、生涯厚い友情で結ばれました。エマソンは『若草物語』のローレンス家の〝おじいさま〟のモデルであり、ルイザが敬愛した憧れの対象でした。

超絶主義者で思想家のヘンリー・ディヴィッド・ソロー*5は、一時エマソンの家に逗留し、オルコット家とも家族ぐるみのつきあいをしていました。ルイザとアンナはソロー兄弟が開いた学校の生徒となっています。ルイザは若々しいソローにも熱を上げていたようです。

オルコット一家は三〇回近くも転居を繰り返していましたが、エマソンの支援により購入した一軒家は、「ヒルサイド」と名づけられ、『若草物語』の舞台となりました。一家はナサニエル・ホーソン*6とも交流が深く、この家はのちに、ホーソンが「ウエイサイド」と改名して住んだそうです。ルイザはホーソンの著書の『緋文字』が大好きだったと、一八歳の日記に書いています。ちなみに読書家のルイザは多くの書物を読んでいますが、愛読したのは、シャーロット・ブロンテの作品で、伝記まで読んだと日記に記しています。

一〇か国語を読むことができたエリザベス・ピーボディ[*7]はブロンソンの進歩的な教育理念に共感し、テンプルスクールという学校創設に多大な援助を惜しみませんでした。あたかも家族の一員かのように近くで暮らし、『ある学校の記録』を出版しましたが、ある時期からブロンソンと仲違いし、袂を分かったのでした。

「美人」の誉れ高いマーガレット・フラー[*8]は、ブロンソンに憧れ、彼の仕事を手伝いましたが、後にブロンソンと意見が合わず去っていきました。それでも彼女は、家計の足しにとルイザに編集の仕事を依頼するなど一家への援助を続け、フェミニズムの本『一九世紀の女性』を著し、生涯の師としてルイザに影響を与えたといわれています。

また、ブロンソンの片想いの相手エドナ・ダウ・リトルヘイル[*9]は後のニューイングランドの女性クラブの創設者であり、婦人参政権協会の一員でした。しかし、ブロンソンはアッパが熱心に支持していた婦人参政権運動に関心はなく、この頃はこの年若いエドナに夢中だったそうです。後に彼女は著名な肖像画家のセス・チェイニーと結婚し、興味深いことに、一八九〇年、イプセンの『人形の家』の続編ともいえる『ノラの再来』を発表したのでした。

ルイザ自身に強い影響力を与えた人物として、ボストンの奴隷制反対の指導者シャドー・パーカー牧師の存在を忘れてはならないでしょう。二六歳のルイザは「どうにかして運命を切り開いてお金を稼ごう」と決意していたのでしたが、ボストンの日曜礼拝で「苦労する若い女性」という牧師の説教を聞き、深い感銘を受けました。「仲間を信頼し、手を貸してもらうこと、自惚《うぬぼ》れず、お願いすること、希望の仕事が見つかるまでは、たとえどんなにつまらない仕事でも引き受けること」という牧師の言葉に、ルイザは励まされ、そのとおりに努力し実行し続けたのです。一八五九年の日記には「わたしの敬愛する牧師であり友人。わたしの教育の多くはパーカー牧師とエマスンさんのおかげ」と記していました。高等教育を受けていなかったルイザは「教師や執筆や針仕事のほかに、講演や本や立派な人たちから、できるかぎりのものを吸収しようと、毎日大忙し。わたしには人生そのものが大学」とも綴っています。

ルイザは幼い時からこのような家庭環境で育ち、著名な人びととの交流を通して自然に進歩的で自由な気風に染まっていったのです。

ちなみに、『若草物語』のローリーことローレンス少年のモデルは日記を探しても見つかりません。どうやらルイザの日記に散見する「わが君たち」、なかでもポーランドで出会った青年とはかなり親密だったようですが、ローリーは彼らを合体させた想像の産物なのでしょう。

「いい子」からの解放

ルイザたち姉妹は両親の勧めによって、幼少の頃からプロテスタントの愛読書『天路歴程』[*10]から強い影響を受けていたと思われます。『天路歴程』は、イギリスの宗教作家ジョン・バンヤンによる作品で、巡礼の旅に出た主人公が、信仰により数々の苦難を乗り越えて「天の都」に行きつくという冒険物語です。オルコット家の姉妹たちはこの『天路歴程』を摸して、繰り返し「巡礼ごっこ」という遊びをしていました。

そしてルイザは自省や克己心《こっき》を求め、善導する父親に対して、常に素直な「いい子」であろうとする少女時代を送っていたのです。一一歳の誕生日の日記には、「夜お父さまがみんなに、どんな欠点がいちばんの悩みかときいたので、わたしはかんしゃくと答えました」と反省しています。

一方、母親アッバは、ルイザの日記にしばしば感想を書き加え、温かく励ましていました。ルイザは一三歳の日記で「お母さまへ――毎日幸せであるようにがんばります」と記し、自分の欠点を「怠慢、わがまま、うぬぼれ、短気、生意気、高慢、利己心、おてんば、猫好き」と列挙していました。自らの行いを日々深く反省し、正しい道に進もうとしている素直な姿がいじらしくもあります。

ところで『若草物語』では、マーチ夫人が立腹しやすく、カッとなってしまう性格を克服しようと、実に四〇年も努力し続けていたと告白しています。「情熱的なメイ家の血を継ぐ」ルイザの母親アッバ自身もそのような気質があったのかもしれません。ルイザも生来の自分の性格に手を焼いていた反面、その枠からはみ出ようとする自分を抑えることができなかったようです。

ルイザの『日記』の翻訳をした宮木陽子は「訳者あとがき」で次のように述べています。「家庭では、質素な服や粗末な食べ物に満足し、精神を豊かに保って、常に『いい子』であることをもとめられた子どもたち。……当時の社会の道徳律とあいまって、『いい子』になりたいといいながらも、ただ『いい子でいるのは嫌だ』というルイザの心からの叫びが、日記からひしひしと伝わってきます」。

「いい子であること」からの反発が「巡礼ごっこ」ではなく「芝居ごっこ」だったのでしょう。オルコット姉妹は若い頃、「芝居ごっこ」にも夢中でした。実際、ルイザが脚本を書き、家の中でも姉妹で役割をふり「芝居ごっこ」を楽しんでいました。大人になってもその興味は消えず、二二歳の時には姉のアンナと共に、一〇〇人の観衆を前にアマチュア劇団の芝居に出演したほどです。その後もルイザは観劇にも頻繁に出かけ、さまざまな脚本を書いたり、俳優として出演するなどかなり演劇にのめり込んでいたことが、日記からもうかがえます。

『若草物語』のメリー・クリスマスの章では、四姉妹がマーチ家で家庭劇を上演するはらはらどきどきの場面が愉快に描かれていました。もちろんジョーは得意な男役で、演出などもこなし、観客をおおいに楽しませています。

前述のノーマ・ジョンストンは「当時の典型的なヒロインは、眠りの森の美女タイプだった。顔が青白く、頼りなげで、助けを求めている。しかし、ルイザのヒロインはちがう。勇気があった。勇敢で、自分の愛する者のためには犠牲もいとわず、思い切った冒険もする」と記していました。この時の劇は一八五〇年、ルイザが一八歳の時に書いた作品の一部であったといわれています。

その日記には「……わたしは悲劇が好き。……今わたしたちはすてきな芝居を書いたり、ハープやお城、甲冑やドレス、それから滝や雷などの舞台装置を作ったりしておおいに楽しんでいる」とあり、「アンナは女優になりたがっている。わたしもそう。女優になりたい。そうすればたくさんお金をもうけられるし」とも記していました。芝居好きとはいえ、女優を夢見るルイザの目当てはやはりお金だったのです。

しかし、この頃からルイザは、「いい子」であることや、保守的、伝統的な女性像に反発し始めていたのでしょう。一八五五年、二二歳の日記には、オロンシー・ブラゲッジという筆名で書いた「女性と女性の地位」という作品を教会で面白おかしく話したと記しています。

『若草物語』では、ジョーがジョセフィーンという女の子の名前を否定して、ジョーと呼ばせていることからも、ルイザは男に生まれたかった、男の子のように自由に振る舞いたかったと切望していたのかもしれません。ルイザのこの思いは『若草物語』のジョーの言葉として随所にあふれ出ています。自由奔放なルイザでさえ、女の子に生まれてことごとく窮屈な思いをしてきたし、自分のしたいことがどんなに制限されてきたことでしょう。

ルイザは劇や物語の中で思う存分、自分を解き放とうとしたにちがいありません。「男の子は強く、女の子はやさしく」というような「男らしさ、女らしさ」を求める、社会的に作られた性差、ジェンダーの考えに（当時はジェンダーという言葉は、まだ流布していませんでした）、ルイザは強く反発していたと思われます。

児童文学の研究者、猪熊葉子も『大人に贈る子どもの文学』で「本当に彼女が書きたかったのは、伝統的男性優位の現実の中に生きなければならなかった女性が、どのように自分たちの人間としての価値を認めさせるか、ということだった」と明言しています。

奴隷制反対運動の渦中に

一九世紀中頃、ボストンには急進的な奴隷解放論者が集まっていました。一八五〇年ハリエット・ビーチャー・ストウ[*11]（ストウ夫人）は、奴隷制反対を唱えた『アンクル・トムの小屋』[*12]を出版し大変な反響を呼んでいました。ルイザは一八五二年にその書をむさぼり読んで大いに共鳴し、ストウ夫人に尊敬の念を抱きました。ストウ夫人も夫の失職のため、筆一本で家族を養っていたからというのも理由の一つでした。

それればかりでなく、『不屈のルイザ』によると、ルイザは子ども時代にボストンの蛙池でおぼれかけた時、引っ張り上げて助けてくれた黒人の少年のことを感謝の念とともに忘れたことはありませんでした。また、大きなレンガのかまどにかくまわれて恐怖におののいていた黒人の逃亡奴隷の顔が、頭から離れなかったといいます。それだけに虐げられた黒人たちを助けたいと、ルイザは常に思い続けていたのでした。

ルイザは連日のように奴隷制廃止や、女性の権利についての講演会や集会に参加し、一八五一年の日記では奴隷制度反対の高揚した気持ちを率直に記しています。「わたしは喜んでなんでもしようという気になった——戦いでも活動でも、わめくことでも泣きさけぶことでも——そしてシムズ〔黒人奴隷〕を自由にするためにいろいろ案を練った。こんなことが起こって、奴隷が連れもどされたら、自分の国ながら恥ずかしい」。

この前年一八五〇年に「逃亡奴隷法[*13]」が改正され、南部から北部に逃げた奴隷は、南部の奴隷主に強制的に返されることになったのでした。逃亡奴隷のトマス・シムズは一八五一年四月に逮捕され、南部ヴァージニアの奴隷主のもとに厳重に警護されて戻されたのです。

さらに一八五四年、当時ボストンで奴隷のアンソニー・バーンズを解放するための暴動が起きました。父ブロンソンらの群衆がボストンの裁判所に侵入して、バーンズを釈放しようとしたのです。政府はボストンの奴隷制反対運動の弾圧を目論み、バーンズを雇い主の主人に返すよう軍隊まで出動させようとしました。「市民軍」との乱闘で裁判所は流血騒ぎとなりましたが、結局「市民軍」は退散してしまいます。そのときブロンソンは最後まで戦い、ひとり静かに裁判所から出ていったと伝えられています。これ以上の死者を出さないようにというその行為が、ボストンを血の乱闘から救ったと讃えられたそうですが、結局バーンズは救出されませんでした。

続いて一八六一年に、南北戦争が勃発しました。前年の一八六〇年三月、共和党のエイブラハム・リンカーンが大統領選で勝利を収めた時から、南部七州が連邦から脱退し反発したのです。黒人奴隷制を批判する北部の連邦に対し、南部諸州はアメリカ連合国を成立させたため、対立は深まっていきました。一八六一年四月、南軍が北軍のサムター要塞を攻撃したのを皮切りに、ついに戦争が始まりました。

ルイザの日記には、「四月――南部との宣戦が布告され、わがコンコードの兵士がワシントンへ向かった。慌ただしい準備のとき、つづいて悲しい見送りの日。このような小さな町では、このような非常時には町がひとつの家族のようになる。おそらく二度と故郷にもどることのない勇敢な若者たちが戦場に赴くとき、駅でくりひろげられた光景はとてもドラマティックだった」と悲哀に満ちた記述が見られます。

その年の五月には、ルイザも三〇〇人の女性たちと共に「わが兵士たちのために」、二日間縫い物をして過ごしました。軍隊の駐屯地に行き、歩哨《ほしょう》に立つ兵士の姿や頭上にはためく旗を目にしたり、大砲がおいてある塀のそばに立っていると、「士気を鼓舞され、まるでジャンヌ・ダルクにでもなったような気がした」そうです。

ルイザはさらに「わたしはこの目で戦争を見たいと何度も思ってきた。今その願いがかなう。男になりたいけれど、女のわたしは武器を持っては戦えないので、せめて戦う人のために働くことで満足しようと思う」と日記に記していました。ルイザは、ここでも男性として活躍したいという思いが勝り、女としての限界を嘆いています。そして本当に軍の篤志《とくし》看護婦としてワシントンに行ってしまったのです。この時ルイザは三〇歳でした。

『アメリカの女性の歴史　自由のために生まれて』によると、南北戦争当時、女性は目覚ましい活動をしたと書かれています。資金集めから物資の調達、医薬品などの供給に加えて、看護婦の訓練まで行いました。看護婦の需要は高く、志願する女性は少なくなかったのですが、連邦軍看護婦長は、性的な乱脈を恐れて三〇歳以上の、「見かけが悪い」女性だけを雇うことにしたそうです。しかし実際には、「三〇歳以上でもないし、見かけも悪くない、数千人もの女性が、愛国主義、冒険の機会、そして最も重要なことに、一日四〇セントの俸給に誘発されて志願した」という記述があります。ルイザが志願した動機の一つに、俸給も少なからず魅力的だったことがあるにちがいありません。

ともかくルイザは、「看護の腕はちょっとしたもの」と自分で言うように、優秀な看護婦としての自負心を持っていました。にもかかわらず、劣悪な環境の病院で献身的に働いていた彼女は、運悪くチフス性肺炎に感染し、一時は危篤状態に陥ってしまいます。結局、迎えにきた父に連れられ、六週間で家に戻ることとなりました。ルイザはこの後、薬の副作用で、頭痛や足の痛みなどの不調に長く悩み、生涯体調はすぐれませんでした。

従軍看護で痛めつけられた身体が少しずつ回復すると、相変わらず貧しいオルコット家のために、ルイザは原稿を書いては新聞社などに送り、収入を得ていました。

一八六三年には「わたしの逃亡奴隷兵」を投稿し、第一級の作品という評価を得ましたが、一八六四年には、奴隷制を批判する小説『一時間』を書き、こちらはあまりに政治的だという理由で出版は見送られました。それでも、しばらくしてその年「ボストン・コモンウェルス」紙に採用され、四五ドルをもらったと日記に記しています。

一方、南北戦争は果てしなく続いていました。

一八六五年四月のルイザの日記には「四月――二日に連邦軍がリッチモンドを占拠。バンザイ！　ボストンへ行って、浮かれ騒ぎを楽しんだ。ブースのハムレットを観劇。……町中が喜びにわきたっていた十五日、リンカーン大統領暗殺[*14]という悲しいニュースが突然飛びこんできて、町全体が喪に服した」と混乱した状況を記しています。次には「人びとが喜びから悲しみへと一転するとても不思議な瞬間を目にすることができてうれしい」と、作家としての冷静な想いを著していますが、すぐ続いて「盛大な葬列を見ていると、黒人の姿が何人も目についた。ひとりの黒人が白人の紳士と手を組んで歩いているのを見たときはうれしくて、思わずその場で小躍りしてしまった」と複雑な胸中を正直に綴っていました。

少女のための物語

ルイザは看護婦体験を綴った『病院のスケッチ』を連載し、一八六三年に出版しました。まだ女性名の本名では出版できなかったのか、それまでは匿名（名前を書かないこと）で出版していたのですが、この時は偽名（本名とはちがう名前で書く）で書いたにもかかわらず、ルイザが書いたことはすぐに知れ渡りました。この本は好調な売れ行きで、この印税のおかげで収益の一部を戦災孤児基金に寄付するまでの余裕ができたのでした。

同年一〇月の日記には「一年まえはわたしに原稿を頼む出版社はなかった。わたしがお願いしてまわった。それが今なんと三社から依頼がある。新聞数社も、わたしが寄稿すれば、いつでも掲載してくれる」と高揚した気持ちを記しています。そしてさらに、「……『きみは教師をしていればいいんだ』といわれたこともある意気地なしで低級な三文文士。援助の手を差しのべてくれる文士の友などひとりもいないのに！　そのわたしがにわかに持ちあげられるなんて！　一五年間コツコツと懸命につづけてきたことがやっと実を結ぶのかもしれない」と恨みつらみまで書き記し、見返してやったうれしさを率直に明かしていました。

一九世紀当時、アメリカは産業革命によりボストンなどの都市への人口集中が起こり中産階級も生まれました。その中で教育が普及し、印刷と出版業が盛んとなり、「少女小説」

の流行などで、女性作家の活躍の道が開かれました。これらの動きはルイザの創作意欲を掻き立て、執筆活動が生活の糧となっていったのです。

ところで何度も出版が先延ばしになり、古い原稿の全体を書き換えた作品『気まぐれ』は、一八六四年に、ルイザが自分で敢然と出版交渉にあたり、印税契約を結ぶことができました。それでも、印税は販売部数に対して一部一〇セントで、新聞社の場合と同じで著作権を失うと、日記に書いています。

一八六八年、今や著名な作家となったルイザに、ロバーツ・ブラザー社のトーマス・ナイルズという編集者が求めたのは、アメリカのふつうの家庭のふつうの少女の日々を描いた物語でした。ルイザはタイトルを『リトル・ウィーメン』(Little Women) に決め、書き始めました。翻訳者の海都洋子は、この原題は父親ブロンソンが、「幼くても、一人の人間として、自分に責任を持って生きるように」という願いから、姉妹たちに目標として与えた言葉だと紹介しています。

ルイザは最初この企画に乗り気ではなかったようですが、次第に「試しにこの路線に取りくんでみようと本気で思っている。なぜなら今少女向けの生きいきした飾り気のない作品が大いに必要とされているし、おそらくその必要をわたしが満たせると思うから」とのめり込み、執筆の「渦」に飲みこまれていきました。こうして、のちに日本で『若草物語』と名づけられたこの小説の四姉妹は、今なお人びとから愛され続けることになったのです。彼女自身もこの年八月二六日の日記にこう書いていました。

「案外いい作品だと思う。ぜんぜんセンセイショナルでなくて、素朴で真実味がある。それもそのはず、わたしたちはほとんどこのとおりの人生を送ってきたのだから。この作品が成功するとしたら、それは実際にあった話だからだろう」。続けて「すでに原稿を読んだナイルズ氏のお嬢さんたちが『素晴らしい』といってくれたそうだ。少女向けに書いた作品なので少女が最高の批評家」と記し、満足気な様子です。

『若草物語』は作者の想像をはるかに超えてベストセラーとなり、負債をすべて返済することができました。実は『若草物語』に関しては、ルイザは、先のトーマス・ナイルズに著作権を保持しておくようにと、忠告されていたのです。

後にふりかえってルイザは「誠実な出版社と幸運な著者。なぜなら著作権のおかげで一財産できた。『単調な作品』は醜いアヒルが産んだ初めての金の卵だったのだ」と日記に書き足しています。どんなにルイザが安堵したかが、切実に伝わってくるようです。

「オールド・ミス崇拝」

ところで、ルイザは『若草物語』を書く以前に、ある紳士から「若い女性への助言」という原稿を依頼されました。ルイザは、「猛烈に意欲がわいてきたので」その原稿料の「百ドル札を目のまえに置き」、オールド・ミスについて「幸せな女性たち」というタイトルで早速書き始めたと日記に記しています。これに付け加えて「わたしたちのようなオールド・ミスの多くには愛よりも自由のほうがよき夫である」とも記しています。

一八六八年の一一月一日の日記には、「女性の最終目的は結婚しかないかのように、若いお嬢さんたちからは、主人公の女性たちを結婚させてほしいという手紙が来る。でも、わたしは読者を喜ばせるためにジョーをローリーと結婚させたりはしない」とありました。ルイザはジョーをオールド・ミスにしておくという構想を以前から抱いていたのかもしれません。

このルイザの想いは、『若草物語』の中で、結婚に憧れるメグが「貧乏人の娘には、結婚のチャンスはないって」とため息をつくと、ジョーがわが意を得たりとばかりに「じゃあ、私たちずっと独身でいようよ」とすかさず言葉を挟む場面にも表れています。するとマーチ夫人まで、「そうね、ジョー。不幸せな妻や、結婚相手を探し回るはしたない娘になるより、幸せな独身女性のほうがよほどいいわね」と賛同を示すのです。

さらに『若草物語』第二巻では、作家を志すジョーがローリーにきっぱりと言い放ちます。「あたしがものを書くのをあなたは好まないんですもの。あたしはきっと一生、結婚しないわ。このままで幸せだし、だれかのために自由を諦めるなんて今はしたくないもの」。

ジョーがローリーのプロポーズを拒絶して、自由を選び、作家としての道を歩もうと決意したシーンは印象的です。結局ジョーとローリーは結婚しませんでしたが、結婚が唯一ハッピーエンドと信じていた当時の従順な少女読者たちは、このジョーの選択をどう受け止めていたのでしょうか。少女たちが結婚しないで自分の道を歩みたいと内心憧れたとしても、当時の社会通念に歯向かってまで独身でいられたかは、疑わざるを得ません。

なぜなら、『アメリカの女性の歴史』によると、一八五二年に『ニューヨーク・ヘラルド紙』は「女権の唱道者と男性の同盟者」について、「この女たちはどんな連中か」と問いただし、「彼女たちの一部はオールド・ミスで、魅力があまりなく、男性一般から悲しくなるほど軽んじられてきた。また、一部は、結婚がうまくいかず……したがって、異性全体を軽蔑している。さらに、一部は、気質的にがみがみしたタイプで、間違って女に生まれた――鬨《とき》の声をあげる雄鶏のような男おんなである」と一連のフェミニストのステレオタイプをあざけっています。さらにフェミニストに同調する男性についても「大多数は尻に敷かれた亭主であり……」とひどくこき下ろしています。

かつては日本でも、女性解放を謳った雑誌『青鞜』[*15]やウーマンリブの「新しい女」に対する新聞や雑誌などのすさまじい揶揄や攻撃がありましたが、どこの国でもこの現象は変わらないようです。

このような世評にもひるまず、ルイザは、一八六〇年二八歳の日記に「新居に落ち着いたナン（姉のアンナ）に会いにいった。二人の生活はまるでキジバトみたい。とても楽しそうで素敵だった。でも、わたしは自由な独身を通し、これからも自分の船を漕いでいきたいと思う」と胸の内を明かしていました。

その後の『若草物語』第四巻では、医者を志すナンという少女に、「人の役に立つ、しあわせで独立した独身女性になれるのが、ありがたくてうれしいの」と言わせています。ルイザは、この強固な「オールド・ミス崇拝」を貫き、生涯独身を通したのでした。しかも、女性は結婚以外の選択肢がなかった時代に、自分の人生は自分で決めるという強い独立心を抱いていたのです。経済的自立をすれば夫に頼らず生きていけることを、それればかりでなく一家の大黒柱として家族を養うことさえできることを、ルイザは、身をもって示していたといえます。

揺れ動く結婚への想い

さて、結婚については、『若草物語』で母親マーチ夫人は、娘たちに「それぞれにふさわしい賢い結婚」を望み、こう諭《さと》していました。「立派な男性に愛され求婚されることは、女性にとってはとても幸せなことよ。……でも、お金や立派な屋敷があるというだけのお金持ちと結婚させたいとは思わないわ。愛がなければ家庭とはいえないもの……」と、お金のための結婚を戒めています。他の場面では、見栄っ張りのメグでさえ、「今どきそんなふうに財産を残せる人なんかいないのよ。男の人は働かなくちゃいけないし、女性は、お金のために結婚するんだわ。世の中、とんでもなくまちがっているのよ」と憤慨しています。ルイザの結婚観はまたしても、お金とは切っても切れないものでした。

母アッバと同様、お金で苦労の絶えなかったルイザにしてみれば、女性がお金のために結婚せざるを得ない状況を苦々しく思っていたのでしょう。

当時女性は、結婚すれば庇護《ひご》されるものとして夫の姓を名のり、夫（家父長）の支配下に置かれて、財産権も子どもの養育権も認められなかったそうです。夫婦が対等な関係で結婚し、家庭を築くことはきわめて稀でした。作者ルイザは結局、実の姉アンナがお金目当てではなく、「愛情満ち溢れる」ジョン・プラットと結婚したように、『若草物語』の長女メグも、お金のために結婚するのではなく、愛するジョン・ブルックと結婚させ、貧しくとも幸せな結婚生活を送らせることにしたのです。

ところが他方、マーチ夫人はジョーのオールド・ミス願望も認めていました。

いったいマーチ夫人は、当時のジェンダー規範に従った結婚を奨励するのか、自由な独身を勧めるのか、本当はどちらに重きを置いているのでしょうか。

確かにこのマーチ夫人の矛盾した忠告は、ルイザの母アッバ自身がこの相反する価値観の狭間で揺れ動いていたからと考えられます。アッバは、家庭においては奔放な夫を支えるよき妻であったにもかかわらず、女性の権利獲得運動にも積極的に関わってきました。ルイザが日記に書いていたように、一八五二年頃のアッバは「相談ごとが持ち込まれると、仕事だろうと慈善だろうと、母はいつも引きうけ、愛のためには自尊心も自分の好みも我慢する」女性だったのです。

しかし、アッバ自身は女性の自由を束縛する結婚への不満が次第に募っていたのではないでしょうか。あるいは夫への献身、実り薄き社会奉仕、進展しない女性運動に彼女は疲れきっていたのかもしれません。実際アッバは、五〇代になって体調を崩し、老いを感じさせるようになっていたようです。

『若草物語』を書く前の一八六六年のルイザの日記には、母の体調を気遣う記述が多く見られます。七月「母はずいぶん老け込んだ。体のぐあいが悪く、疲れてもいるようだ。父は相変わらず、泰然自若としている」。一一月「たくましく精力的だった昔の『マーミー』の姿はもう二度とみられないだろう。母はいま血色が悪く、体も弱っている。あまり口もきかないし、顔は悲しそう」とあります。ルイザは母の姿を間近に見ていただけに、結婚が女性に幸福をもたらすものか、疑わざるを得ませんでした。この結婚か、自由な独身女性かの二つの異なる価値観の揺らぎを、執筆中の『若草物語』にそのまま投げかけたとはいえないでしょうか。

そしてルイザは、良妻賢母が求められていた時代に、「結婚に価値をおかない人生」を選ぼうとしたのです。

しかも、ルイザは結婚に対して何とも言いようのない抵抗感も抱いていたようです。『若草物語』では、ジョーは、執拗に姉メグの結婚にこだわり、ジョンを恋敵のように嫉妬し嘆いています。ルイザ自身も実の姉への思いが並々ならぬものであったのは、一八五八年五月の日記からも明らかでした。「わたしは大事なものを失うような気がして、心のなかでは悲しくて悲しくて、アンナを奪っていくなんて、ジョンを絶対に許さないと叫んでいた」。

この年の三月にルイザは実の妹エリザベスを病気で亡くしていました。妹の死と姉の婚約……一一月の日記では「このふたつの出来事がわたしの人生を変えた。これらの体験がわたしの中に深く根をおろし、わたしを変えた」とまでルイザは言っているのです。

ルイザのいう大事なものとは家族との絆、姉と育んだ無垢な少女時代を意味していたのでしょうか。ルイザは、もう男の子のようなお転婆ではいられなくなったこと、つまりは娘時代との訣別を自覚せずにはいられなかったのでしょう。さらには思春期の少女らしい潔癖さと、性的な結びつきでもある結婚への嫌悪感が交錯していたようにも思えます。

ルイザはあれほど仲良く暮らしていた家族が離れ離れになっていく寂しさをかみしめていました。先の日記には、「いまは以前よりもうまく書けそうな気がする。——自分が実際に肌で感じ、感じるからこそほんとうにわかることを、もっとあるがままに。とにかくいつかは素晴らしい本を書きたい」。

ここからルイザは作家としての高みをめざしていき、一〇年後、生まれたのが『若草物語』でした。

『昔気質の一少女』へつなぐ

南北戦争終結から五年たった一八七〇年は、ルイザは三八歳、『昔気質の一少女』のみを出版しました。今、私の手元にある岩崎書店の世界名作全集『美しいポリー』は、村岡花子[*16]訳で一九七三年に出版されたものでした。

『昔気質の一少女』は田舎娘のポリーが一人都会に出て、裕福な友達の家に滞在していたひと月あまり、いろいろな考え方の違いに悩み、成長していく物語。そして周りの人びとにも良い感化を与えるという内容です。この本の中でも「男の子たちは、なんでもすきなようにしているのに、女の子だけが、あれもしてはいけない、これもだめと、きびしく見はられているのなんて、不公平だと思うわ」と一人の少女が不満げに言っています。

先述のノーマ・ジョンストンは、ルイザの伝記の中で「今度の本では新しい考え方を持つ女性を応援し、若い女の子が夫を捕まえるため、また流行におくれてはなるまいとして、相変わらずばかばかしいことをしている風潮をあからさまに非難している」と述べています。

さらに『昔気質の一少女　下巻』(吉田勝江訳　角川文庫)は、六年後ピアノ教師として自立しているポリーが都会で一人暮らしをし、恋と友情に悩む姿が描かれています。が、いきなり「女権について講演をやる」という言葉が出てきて、さらに文中に「つねに女性の進歩を妨げる藪を切り開いて行こうとするわれらのポリーを、最初の踏み出しからいためつける、も一つの棘は、自由を旗とするこの国でさえ自活などをすると多くの人から冷たい目を向けられるという発見だった」という表現も出てきます。さらにポリーの言葉として「『私は変わっている』のだからだれのやっかいにもならない独身者で一生音楽を教えて暮らすほうが好きなのよ」とまたもや独身について言及しているのです。そればかりでなく、ここでも当時の社会通念に反し、女性が結婚をしないで、経済的に自立して生きることもできるのだという新しい価値観を指し示しました。

『昔気質の一少女』はこうしたルイザの考えを「たとえば女性参政権の問題や、結婚していようがいまいが、仕事をし、独立し、それなりにきちんと生活する権利を持ちたいということや、新しい形の家族形成について書き込んだ」とノーマは、説明を加えています。

今やルイザは「オルコット女史」でなかったらなかなか書けないようなことを、ずばずば書けるようになっていたのです。例えば、「お金のためだけに愛情のない結婚をすることや、お金を稼ぐ能力のない若い娘がひとり都会に出ていく無謀さなどを手厳しく批判している」とノーマはつけ加えています。

改めて私は『若草物語』や『昔気質の一少女』などの作品が少女向きの「児童文学」として書かれたことは、大きな意味があると思います。なぜなら、ジョーやポリーがくり返しつぶやく女性としての不満や疑問は、読者の少女たちの共感を生み、今なお不平等な社会を見つめ直す契機になると思うからです。

婦人参政権運動

ルイザが初めて『若草物語』を書いた当時からさかのぼることおよそ三〇数年前、母親アッバは友人のルクリーシャ・モットと交友を深めていました。このルクリーシャは一八四〇年、ロンドンで開かれた世界奴隷制度反対大会にアメリカ代表として参加した人でした。その代表団の中には、アメリカの「女性参政権の母」と呼ばれたエリザベス・キャディ・スタントン[*17]もいました。しかしその時、女性の代表は大会に参加することを禁止され、カーテンの陰で傍聴することを余儀なくされたので、結局彼女たちは会議をボイコットしたのでした。その屈辱と怒りの体験が、アメリカでの女性権利擁護運動[*18]につながったといわれています。この「女性運動の進展と、平等の権利と投票権を獲得する運動」にアッバも参加し、その後展開された署名活動にも精力的に関わっていきました。

そして一八四八年七月二〇日、ニューヨーク州セネカフォールズで開かれた歴史的な会議では、「感情と苦情の宣言」とも言われた、女性の権利を主張する「女性の権利宣言」

が起草されたのです。

一八五四年には、スタントンとスーザン・アンソニーが中心となって、婦人参政権と既婚女性の財産権を求める嘆願書を、ニューヨーク州議会に提出しました。

しかし『アメリカの女性の歴史』によると、その後一八六〇年代の婦人参政権運動は、以後二〇年間、人びとの間に深く激しい亀裂をもたらしました。南北戦争の後、全ての男性に参政権を認め、黒人の市民権、参政権も保障する憲法一四、一五条が、女性をその対象から外したのです。そのため、一八六九年、あくまでも婦人参政権獲得を主張するスタントンやアンソニーらは全国婦人参政権連盟（NWSA）を結成し、女性にも参政権を与えなければ、憲法修正一五条を支持しないとしました。それに対し穏やかな改革を主張するアメリカ婦人参政権協会（AWSA）は、憲法修正一五条を支持しながら、婦人参政権は州レベルで獲得されるべきだと主張したのです。

他方一九一〇年以降、イギリスでは、サフラジェット[*19]と称する婦人参政権活動家たちの戦術が過激化し、その運動はアメリカにも影響を与えていきました。一九一〇年、ワシントン州をはじめとして二、三の州で、州法に婦人参政権を認めさせる一般投票が行われ、そこでは勝利したものの、その後、他の三州では敗北してしまいました。

その結果、婦人参政権運動は闘いを変更し、憲法修正をして女性の市民権を全面的に認める方向に一気に舵が取られたのです。一九二〇年になってアメリカ憲法修正一九条としてようやく女性参政権は認められることになったのでした。

一方、我が国では一九二四年（大正一三年）、市川房枝《いちかわふさえ》らが「婦人参政権獲得期成同盟[*20]」を発足させ、多くの進歩的な女性たちを巻き込み、粘り強い活動を進めましたが、太平洋戦争中に解散を余儀なくされました。戦後の一九四五年、新憲法制定をまたずして、衆議院議員選挙法改正により、女性参政権は認められ、翌一九四六年四月一〇日、この総選挙で日本の女性は初めて投票することができました。この時、女性議員が三九人も当選したのは画期的なことでしたが、その後五〇年以上もその記録は破られませんでした。

さて、アッバはボストンで社会奉仕の仕事をするうちに、貧しい女性たちの実情に心を痛め、婦人参政権の必要を強く痛感していました。

ルイザはこのような母からの影響もあってか、若い頃の奴隷制度反対運動に代わって、女性の権利拡張運動としての婦人参政権運動に関わるようになっていきました。

ルイザ四七歳、一八七九年の年は婦人参政権に関する記述が日記の中に多く見られます。「教育委員選挙の投票人として登録された初の女性」となり、「今わたしは女性に参政権運動に参加するよう働きかけている。女性はとても臆病で保守的」「馬車であちこちまわって、婦人参政権集会に参加するよう女性たちに大いに働きかけた」。けれど、「古い慣習から人びとを抜けださせるのは一苦労。わたしにはそれほど忍耐力もない。目を向けようともせず、努力もしない人に無理強いはしない。わたしはわたしの道を行くだけ」と半ば諦めている様子も垣間見えるのでした。

一八八一年一〇月の日記には〔婦人〕参政権クラブの設立に奔走《ほんそう》し、「女性を説きつけるのは至難の業」と言いながらも、女性に読んでもらおうと、『女性の義務』[*21]と『マサチューセッツの参政権の歴史』[*22]を購入までして運動を続けていました。

さらに一八八三年四月二日の日記には、町民会議で「七人の女性が投票。わたしとアンナはそのひとり。文化と独立心を誇りとする町にしてはお粗末」と嘆く記述が見られます。

一八八六年に出版した『若草物語』第四巻では、ルイザは登場人物のナンに婦人参政権について、男の子たちとこんな議論をさせています。

ナンはこう言います。「去年の冬、議会の婦人参政権討論会に出たんだけれど、あんなに軟弱で最低の議論はなかったわ。そんな議論をしているのが、あたしたちの代表なんですものね。……あたしがなれないんなら、せめて賢い男性に議員になってほしいわ」。

そして五人の男の子たちに次々と意見を聞き、そのうちの一人、トミーには冗談にせよ「ぼくは、婦人参政権に全面的に賛成し、すべての女性をあがめたてまつり、女性のためなら、必要とあらば死ぬこともいといません」とまで言わせています。

ルイザは母親アッバの女性の権利獲得運動など種々な活動に共鳴し、これまで見てきた社会における女性たちの地位の低さ、貧困、自らの生きづらさを『若草物語』以後の作品に投影させていきました。それこそがルイザでなくてはできない運動であったのです。

女と家事・育児の問題

『若草物語』第二巻の一五章「妻の座とは？」の章では、「アメリカのむすめたちは、若いうちから独立をさけび、自由を楽しむけれど、いったん結婚すると、家族というわくの中にとじこめられてしまう」とルイザは書いています。

さらにこの章では、幸せな結婚を送っていたはずのメグとジョンの間に生じた亀裂が描かれています。双子の子を育てているメグは、家事と育児に疲れ果て、ジョンの世話もおろそかになりがち。ジョンは妻への不満からか友人宅に入り浸りです。ルイザは、現代の夫婦にもありがちな家庭の風景を描き出し、解決策まで示していました。

マーチ夫人こと、おかあさまはメグにこんな言葉を贈ります――。

「ずっと子ども部屋にいたら、かえって息苦しくなってしまいますよ。ジョンにも子ども部屋にはいってもらって、世話をしてもらいなさい。子どもたちには父親が必要です。ジョンにも父親として子育てに参加してもらえばいいのです」。

あたかも今日、日本でも盛んに言われ始めた父親の育児参加を先取りした提言ではないでしょうか。興味深いことに、ルイザは結婚もせず家庭も持たなかったにもかかわらず、「男は外で仕事、女は家で家事・育児」という伝統的な性別役割分業に対しても異議申し立てをし、適切な助言をしていたのです。

ルイザが『若草物語』第二巻を書いた頃、日本は明治維新の真っただ中で、家父長制、男尊女卑、良妻賢母の価値観が広く社会を覆っていました。女性の解放をめざした『青鞜』を創刊した平塚らいてう（雷鳥）*23と、与謝野晶子*24、山川菊栄*25らが、子を持つ働く女性の生き方を論争したいわゆる「母性保護論争」は、一九一八年から一九一九年の大正年間でしたから、ルイザがいかに先見の明を持っていたか、わかります。

『本を読む少女たち』では、「女性の本質についての進歩的な理論と、政治的解放への動きは、経済上の要請と真っ向からぶつかった。当時〔一九世紀中ごろ〕の経済は、厳格な労働の性別分担を維持することで成り立っていた。つまり、子どもを産み育てるのは、女性の役割であり、その結果、家事も女性が担うというのが前提だったのだ」と指摘しています。

しかも、性別役割分業は日本では高度経済成長期に根づいたと言われていますが、まさに経済・社会が要求する効率的な仕組みといえます。アメリカ社会では一五〇年以上も前に、この性別役割分業がジェンダー平等の本質的な問題として論争されていて、『若草物語』にもその片鱗が見られるというのは、改めて注目すべきでしょう。一九世紀当時の女性の置かれた伝統的な家族観、女性差別的な状況への批判を、ルイザは強く打ち出していたのです。

一方でルイザから実の母親を見た記述には「わが家の哲学はすべて書斎にあるとはかぎ

らない。多くは台所にある。立派な老女が料理や掃除のあいまに、台所で高尚なことを考えたり親切な行いをする」とありました。ルイザは台所でものを考える母のような女の強さを称賛しています。

村岡花子著の伝記『ハリエット・B・ストー』（童話屋刊）には、「台所の作家」という章で、双子の子の育児に追われ、「台所で食器にうずもれながら、寸暇をみつけてはペンをはしらせた」というストウ夫人を描いています。貧しく切り詰めた家計を助けるためにペンを持つしかなかった彼女にも、自分の机でゆっくり構想を練り、執筆する余裕はなかったのでしょう。

ルイザ自身は一三歳の頃からものを考える空間としての「自分だけの部屋[*26]」を渇望し、成長して余裕ができると、しばしば家族と離れてボストンに部屋を借り、執筆に没頭しました。けれども一八八三年二月の日記には、人気作家となっても「家事と執筆、ふたつをこなすのは辛い。家事をしているときも私の頭は手と同じように働いてしまう」と、家事と仕事の両立の難しさを嘆いています。

日本ではいまだに家事・育児は女の領分という性別役割分業意識が根強く、多くの女性たちが家事の合間にものを考える場所は、相変わらず台所なのです。

ジョーとルイザに生じた亀裂

ルイザ自身は、自分の能力を認め、対等な関係を築ける理想の男性の出現を秘かに望んでいたのかもしれません。

『若草物語』第二巻では、ジョーはローリーの求愛を拒んだものの、二五歳の誕生日に「ああ、オールド・ミス、それがあたしの運命だわ。ペンを夫にした、物書きのひとりもの。たくさんの物語を子どもに書いて、二十年後には、すこしばかりの名声は得られるかもしれない。でも、年をとったら、そんなものもうれしくないし、だれともわかちあえないんだから……やっぱり」とため息をついています。

そして読者を満足させるためか、売るための出版社の意向なのか、ルイザはジョーとドイツ人の実直なベア教授との大人の恋を描きました。私から見れば、ベア教授はとても理想的な対等なパートナーとは言い難いのですが、二人は結婚し、共に学園を創設し、共に経営するのです。ベア教授は、信念を貫いた父親ブロンソンや、敬愛してやまないエマソンの姿を彷彿させるという人もいます。ルイザは父ブロンソンに対する否定的な感情とは裏腹に、理想に燃え突き進む父の姿に魅力を感じていたのでしょうか。晩年はブロンソンもその教育思想が認められるようになっていたので、マーチ伯母様が遺してくれた広大なお屋敷プラムフィールドにジョーがベア教授と学園を創るというストーリーは、父ブロンソンの果てない夢を物語世界で実現させたものといえるでしょう。加えて恵まれない子どもたちのための学園を創るというのは、やはり慈善活動に熱心だったマーチ夫人、つまりは母アッバにも感化されてのことだったかもしれません。

ところが、翻ってみると『若草物語』のベア教授は、ジョーが一時煽情小説を書いていたことを非難し、作家の道を諦めさせた人物でした。このベア教授との結婚で、ジョーは作家として自立する道を選べませんでした。ここから、独身を通し、作家としての人生を貫いた生身のルイザとジョーは少しずつ乖離《かいり》していったように思えます。

結局『若草物語』の後のジョーは、父親の従順な娘として教えに従い、よき結婚相手を望む母マーチ夫人の希望に沿って結婚することになってしまいました。さらに二人の男の子までもうけて、時代が要求していた理想の母親像を体現するのです。

私は、このジョーに対する違和感がどうしてもぬぐえません。ジョーでさえ自由な独身ではなく、家庭の妻として、よき母としての従属的役割を引き受けざるを得なかったのでしょうか。

『若草物語（リトル・メン）』第三巻（一八七一年出版）、『若草物語（ジョーの子どもたち）』第四巻（一八八六年出版）は、いずれもプラムフィールドが舞台で、ジョーが周囲の人びとと織りなす物語となっています。そこでは、男勝りの自由奔放なジョーは消え、母性豊かな分別のある大人として、自分の子どもばかりでなく、学園に預かる子どもたちのよき教師、よき相談相手として登場します。

さらに『若草物語』第四巻では、学園が大学に発展したとき、ベア教授が大学の学長となり、ジョーは「若者の信頼と弁護を一手に引き受ける役」というあいまいな位置づけになっています。ベア教授とジョーの関係は、結局ベア教授が家父長としての力をふるい、ジョーは夫に仕え、学園の子どもたちの母親代わりをするという、当時の男性優位な家族観を超えられなかったといえるのです。

日記の訳者宮木陽子は「女性の権利、自由、平等をもとめ、精神的にも経済的にも常に自立して生きていこうとすれば、そこにはいつも強固な壁が立ちふさがっていました。理想論だけでは生きられない現実に、強い信念もときとして揺らぐことがありました」とルイザを弁護しています。

ルイザ自身にも、確かに、この頃の日記によれば体調がすぐれず、さまざまな治療法を試みています。執筆も滞りがちで、創作への熱い思いはあまり語られていなかったのは、やはりさびしい気がします。

家族への献身

現実のルイザは、ジョーのように結婚を選ばなかったのですが、愛情の対象となる家族を求める気持ちが人一倍強かったと見えます。ルイザは何よりも家族を大切に思い、献身的に尽くしていました。一八五八年二月の日記には「いとしの小さな天使！ ベス、あなたとこんな悲しいときをすごすくらいなら、わたしの命をあげたほうがいい」と書いています。実の妹エリザベスは、『若草物語』の三女の天使のようなベスと同じく、貧しい近所の病気の子どもの看病にいき、猩紅熱《しょうこうねつ》に罹って帰らぬ人となりました。母親アッバの奉仕の心、人びとへの優しい気持ちをいちばん強く受け継いでいたのがエリザベスであったのです。ルイザは病弱なエリザベスのため、母に代わりつきっきりで夜の付き添いをしていました。一八五八年三月一四日の日記にはこう書いていています。「今朝の三時に私の大事な大事なベス〔同名にしている〕が亡くなった。辛い闘病生活は二年にも及んだ。……ほんの少ししかない持ち物をわたしたちに譲った。あの子なりの純粋で控えめなやり方で別れの準備をしたのだろう。……最後に美しい目をして逝ってしまった」。

その後もルイザは、夫ジョンに先立たれた姉アンナの息子の一人、つまり甥を養子にしたり、不幸にも出産の後、病気で亡くなった末の妹アビーの幼い娘ルルを引き取ってかわいがってもいました。

しかも、依然として一家はルイザの筆一本に頼っていたのです。そのような厳しい現実が、彼女に結婚を許さなかったともいえるでしょう。アビーのパリへの渡航費や滞在費まで負担するなど、いかなる時も身内や親しい人びとに、ルイザは金銭的な援助を惜しまなかったのです。姉の家族のためにソロー邸を購入し、体調を崩した母親を一緒に住まわせたのも、いじらしいほどの献身ぶりです。

一八七一年一二月の日記には母親思いのルイザは、「お金ですむことなら、母が心地よく暮らせるようにできる。母は今快適に暮らしているようだ。これでやっとわたしの長年の夢が叶った。なぜなら母はもう働く必要はない。気苦労もない。お金のことでくよくよすることもなくなった」と記しています。

母アッバが亡くなったのは、六年後の一八七七年一一月。ルイザの直後の日記には「わたしの務めは果たした。いまはもう喜んで母のあとを追える」とありました。


母が亡くなると、残された家族を支える責任は、いっそう重くルイザの肩にのしかかりました。ルイザは晩年の日記からもわかるように、病床にありながらも付けを支払ったり、家計費や自分の看護費用の心配までしていたのです。一八八三年五月の日記には「〔ルルと〕ふたりでどこかへ行って、好きなように暮らしたいけれど、自分の思い通りに生きられる日は決して来ないだろう」と次第に悲観的な記述が見られ、一八八五年以降は病床の記録のような記述が続き、八月には過ぎ去った日々を思い起こし「人さまにはわが家族の生きざまが興味深く、風変わりなものに映るかもしれない。生きていくのがむしろ重荷」とつぶやくのでした。

一八五七年六月、ルイザは二四歳の日記に、シャーロット・ブロンテの伝記を読んで、「悲しい人生。才能に恵まれた人物が長年働きつづけ、成功と愛と幸せが訪れたら、死ぬなんて」と書き残していました。あたかも、自分の最期を予期していたかのようです。一八八八年三月六日、父親ブロンソンが亡くなりました。その二日後、あとを追うようにルイザは息をひきとったのです。自分の役割は終わったという安堵からだったのでしょうか、何か哀しささえ覚えます。こうしてルイザ・メイ・オルコットの「長い戦い」は幕を閉じたのでした。

ルイザ・メイ・オルコットは、当時の良妻賢母を美徳とする社会通念に抗い、結婚よりも自身の自由に価値を置き、書くという仕事を通して経済的自立を果たした「新しい女性」でした。ルイザは、女性であるという足枷を自ら解き放ち、歯を食いしばりながら、生涯「この古くさい、いやな世の中に反抗の叫び」をあげ続けたのです。

第2章

『小公子』『小公女』から『秘密の花園』へ

野ブドウを摘んだ少女
――フランシス・ホジソン・バーネット

栄光と失意の生涯

『小公子』『小公女』『秘密の花園』の作者として知られるフランシス・ホジソン・バーネットの生涯[*1]は、「栄光と失意」の波乱に満ちたものでした。

フランシスは、一八四九年一一月二四日に英国のマンチェスターで裕福な家庭の三人目の長女として生まれました。しかしフランシスが四歳になる直前に、家具商を営んでいた父親のエドウィン・ホジソンが病死します。母親のイライザは家業を受け継いだものの、南北戦争の影響で英国の経済が悪化し、結局商売は人手にわたってしまいます。そのとき一家にはフランシスの兄二人と妹二人、計五人の子どもがおり、生活は困窮《こんきゅう》しました。

フランシスたちは、米国にいる母方の伯父の勧めで渡米することを決意します。しかし、移住した先はテネシー州の小さな丸太小屋。フランシスは一五歳になっていました。

極貧の生活の中で、頼って行った伯父も事業に失敗してしまいます。兄たちの稼ぎでは到底生計が立たず、フランシスも家計の足しにと、刺繍の内職や音楽教師などをしていましたが、貧しい暮らしは変わりませんでした。フランシスは、一七、八歳の頃から物語を書いては雑誌への投稿を始め、わずかな原稿料をもらっていました。母親が五五歳で亡くなった後も、大衆紙に通俗小説を毎月五、六編書き、彼女が家計を支えていたのです。

二回目に引っ越したテネシー州ノックスヴィル近郊には、バーネットという医者の家族が住んでおり、家族ぐるみで親しくなりました。その息子のスワン・バーネットと、後に一八七三年、フランシスは二三歳で結婚したのですが、眼科医をめざす夫の収入は低く、依然として暮らしは苦しかったようです。しかも、フランシスは夫のパリでの留学費用を捻出するためにも、原稿を書き続けました（以後、結婚前はフランシス、結婚後のことはバーネットと記す）。

結婚後は二人の男の子に恵まれ、次男ヴィヴィアンをモデルにして書いた『小公子』が一八八六年に出版されると、大変な評判を呼びました。バーネットは一躍人気作家となり、生活も安定していきます。続いて書いた『セーラー・クルー』（のちに増補して『小公女』として出版）も、ベストセラーとなり舞台化までされます。以後、彼女は、富と名声を得て、英国や米国にも邸宅を構えるほどの裕福な生活を送るようになりました。たびたび子どもたちを伴い、パリやロンドンなどで暮らし、その派手な生活ぶりは次第に人目を引くようになったといいます。

しかしバーネットが四〇歳の時に、結核を患ってパリで療養していた愛息ライオネルがわずか一六歳という若さで亡くなりました。すると、以前から不仲であった夫妻は、その八年後に離婚。悲しみの中でバーネットは、英国に居を構えていましたが、一九〇〇年五〇歳で、年下の若い俳優と結婚します。けれども、これも長続きせず、わずか二年で破綻したのでした。

再び米国に戻ったバーネットは米国国籍を取得し、ロングアイランドのプランドームに土地を購入し、家を建て、移り住みました。一九一一年に『秘密の花園』が出版されたとき、彼女はすでに六〇歳になっていました。その後、晩年には名誉毀損で裁判沙汰にもまきこまれます。過労による精神的ストレスや病気を抱えながら、バーネットは、最後まで執筆を続けました。一九二四年一〇月二九日、七四歳でその生涯を閉じたのです。

バーネットは一八九三年、四三歳の時に『バーネット自伝――わたしの一番よく知っている子ども』を書き始めています。それは一風変わった自伝的な作品で、バーネット自身は「わたしの一番よく知っている子どもについての小篇」と記していました。

訳者あとがきでは「いわゆる伝記ではなく、幼い時の一番古い記憶から書き始めて、鮮明に記憶されていることのみを綴った『心の軌跡』といえる作品」と説明しています。加えて、バーネットが作家の目で「『他の子より想像力が豊か』であった自分の過去を探り、楽しい思い出だけでなく、子どもの暗部にも迫って詳細に記述している点を、いわゆる成長の記録とは違った、子どもの心象史としても稀有な作品である」と評しています。この『バーネット自伝』の中の「その子」とはバーネット、すなわちフランシス自身です（以下『バーネット自伝』を『自伝』、引用文中に出てくる「その子」はそのまま記す）。

ただ、『自伝』とはいえフランシスが一七、八歳の頃までしか書かれていません。ここではバーネットの思春期までの心象風景が、後の作品にどのように反映されているかを、フェミニズムやジェンダーの視点に立ちながら、読み解こうと思います。

作家の道へ

本好きで、空想力豊かなフランシスは、英国にいた時から、物語を創っては友達に聞かせており、大変な人気者だったそうです。米国に移住してからも、家計を支えようと、物語を書いて投稿することを思い立つのですが、原稿を出版社に送るにも、切手代もなかった「切迫した状況」でした。フランシスは「ひとが気に入ってくれる物語を本当は書けるのに、それを売ってお金が手に入ったら快適な暮らしができるのに、用紙や切手が買えないというだけで、わたしにそんな幸運があるのを一生知らなかったとしたら、ものすごく悲しいことだわ」と打ち沈んでいました。

その頃、フランシスは、森の中で野生のブドウをたくさん摘み、市場で売って一ドルを手に入れた少女の話を、末の妹のエドウィーナから聞きます。『自伝』にはみんながどんなに興奮したか、楽しげに描かれています。フランシスは「ふいに豊かになった感じがして、希望が出てきました。もしも、ブドウをいっぱい見つけて、それが売れて、編集者の機嫌がよかったら、ひょっとして何かが起こるかもしれないのです」。

そしてフランシスは「何とかしなければならないこと」が解決しそうになったうれしさ

で、すぐさまこうも思うのです。「もし、この物語を買ってもらえたら」「他の物語も書けるし、それをまた買ってくれるかもしれないわね。物語はいつでもつくれるもの」。すでにこの時のフランシスには、作家としての自負心が芽生えていたのでしょう。

そこでフランシスは妹イーディスと、毎日森へ行っては野ブドウをかごいっぱいに摘みました。それを売ってお金に換え、そうして買った原稿用紙と切手で、フランシスはようやく雑誌社に原稿を送ることができたのでした。

「　拝啓　同封した原稿『デズボラ嬢の苦難』が、雑誌掲載にふさわしくないと判断されましたときは、同封致しました返送用の切手をお使いください。

わたしの目的は報酬です。

敬具

F・ホジソン」

これはフランシスが一七歳の時、投稿した際に熟慮を重ね、何度も書き直して編集者に送った手紙です。詰まるところ締めくくりの文章が大変気にいっていたと『自伝』の中で白状しています。その雑誌の編集者からの返事の手紙を待つ間、フランシスは胸がどきどきして震えが止まらず、泣き出したりしたそうです。あるときには原稿料の皮算用もしてみました。

この時には願いはかないませんでしたが、二番目に送った編集者から作品をもう一つ書いて送ってほしいという手紙をもらいました。フランシスは三日で新しい物語を書き上げ、この二つの作品によって、三五ドルを得ることができたのでした。

「すでにそのとき、その子は、目に見えない微妙な境界線を越えていたのです。人生そのものが始まりました」と、バーネットは感慨を込めて振り返っています。確かにそのとき彼女は、作家への道を一歩踏み出したのでした。

当時の女性は、メイド（家政婦）やお針子くらいしか収入の道はなかったのですが、知的な職業として教師も次第に増え始めていました。さらに印刷・出版業が盛んになるにつれ、作家という職業が成立してきました。こうした背景の中で、女性がペン一本で稼ぐことのできる道を、彼女たちは自ら拓《ひら》いてきたのです。それは必ずしも平坦な道ではなかったでしょう。

ルイザ・オルコットも意を決して原稿を売りに行きましたが、その目的もお金でした。貧困家庭の暮らしを助けるために女性が作家を志すという道のりは、すでにハリエット・ビーチャー・ストウが、一八五一年『アンクル・トムの小屋』が出版され、一躍人気作家となった例があります。『自伝』によると、フランシスは『アンクル・トムの小屋』を何度も泣きながら読み、黒い人形をトプシーと名付けたり、その人形をアンクル・トムに変身させて遊んだとあります。

ルイザ・オルコット同様、フランシスもその幼い時からストウに感化されていたようで、ストウは、作家をめざす彼女たちにとっては憧れの先輩だったのでしょう。

児童文学作家、苦難の道のり

実は、フランシスは詩を書こうとしていたことも、兄たちには知られたくなかったと言います。「もし、兄たちに知られたら、その子にとって人生はいやなものになってしまうからです」。フランシスは物語を書くことも、絶対に秘密にしていました。誇り高いフランシスは、男の子たちが原稿を見つけたふりをしたり、その一部分を読み上げるふりをしたりすると、「男の子には面白い冗談だったのですが、からかわれる方のその子は楽しめませんでした。内面が敏感でとても誇り高いその子は、本当のところ、からかわれるのをひどく嫌っていたのです」と『自伝』では怒りを込めて振り返っています。さらに、「男の子にからかわれると、からだ中がかっかとしたものでした。ほかに誰も聞いていないときでもかっかしたので、よそのひとの前でからかわれようものなら、頭のてっぺんから首筋まで真っ赤になりました」というほど激しい性格を秘めていたのでした。「『殺し』でもしないかぎり、男の子を止めることはできないのです。ほんの一瞬、衝動的にそれが当然だと思ったとしても、自分の兄を殺すことはできません」とまで言いきっています。

この頃、物語を書くことは自意識の強いフランシスにとっては特別な意味を持ち、誰にも侵《おか》されたくないという強い思いを抱いていたのでしょう。

オルコット同様、バーネットも児童書だけでなく、大人向けの煽情的な小説、ロマンス物にも手を染めていました。

「はじめに」で紹介した『本を読む少女たち』では当時「児童文学を書いていた女性作家は、これまた軽視されている読者——子ども——を対象に作品を書くと、ますます周辺に追いやられた」と述べています。

さらに、「一九世紀においては、現代同様、子どもの本は文学としての威信を欠いていた。とりわけ、少女のための本はなおさらで、ほとんど女性作家の守備範囲であり、児童文学のほかの形式に比べても、一層低い位置づけしかされていなかった」し、「一九世紀の女性作家たちが男性主導の批評界で、低い評価しか得られなかった」のが、現実であったと論じています。

つまり、『若草物語』でジョーがベア教授にたしなめられていたように、煽情小説や通俗小説を書く女性の作家は世間から蔑視されていました。子どもの本自体も価値の低いものとみなされ、まして少女向けの本となれば、さらに取るに足りないものとして扱われていたのです。

たとえ、女性の作家が書いた作品が高い評価を受けたとしても、彼女たち自身は「女性だから」と隅に追いやられ、苦い思いを味わっていたことでしょう。

とはいえ、この幾重に差別されようと、彼女たちが食べていくために書いたさまざまなジャンルの作品の中で、「少女小説」だけがベストセラーとなり、高い評価を得て後世に残ったというのは、なんとも皮肉な結果ではないでしょうか。

バーネットも、一八七七年、二七歳で通俗的な長編小説『ロウリーんとこの娘っこ』を出版して、かなりの流行作家になっていたようです。でも、児童文学ではなかったこの作品は、あまり評判にならず、ロングセラーにもなり得なかったのでした。

興味深いことに、ルイザ・オルコットの日記によると、一八七九年二月、四七歳のとき「リヴィア邸で行われたパピルスクラブの晩餐会《ばんさん》に出かけたところ、ミセス・バーネットも賓客《ひんきゃく》だった。……なかにはいると、なんとわたしの席はミセス・バーネットや……国のお偉方たちといっしょで、クラブ会長の右側だった」とあります。そのときバーネットは二九歳で、新進作家として注目を浴びていましたが、『小公子』はまだ出版されていなかった頃です。著名な先輩作家オルコットと並んで、どんなに誇らしい気持ちだったでしょう。その後、オルコットはバーネットを次男のヴィヴィアン共ども、コンコードの自宅に招待しているのですが、その日の日記には、「とても好感の持てる女性」とバーネットの印象を綴っていて、親交があったことがうかがえます。

「かわいらしさ、美しさ」へのこだわり

バーネットの画像は、ネットで探すと、少し斜めに向き、顔の半分しか見えませんが、口元をしっかり閉じ、鋭くこちらを見つめている写真が強く印象に残ります。他には髪に

花を飾ったり、胸を少し出したドレスにリボンやレースをあしらったものもありました。あの『若草物語』の長女メグが友人宅で着せられたようなパーティードレスでした。バーネットの『自伝』の中では、英国での、以前裕福だった頃のクリスマスパーティーで着たドレスやサッシュベルトの思い出が、あざやかに描かれています。パーティーの高揚した気持ちや喜びもさることながら、彼女の実に美に敏感な意識が伝わってきます。ファッションへの並々ならぬ関心があったのでしょう。

佐藤宏子の「『若草物語』とは何か」（『若草物語』高田賢一編著所収）によると、「一九世紀の女性たちの服装は、体を鯨の骨で作ったコルセットで息ができないほど締め付けて細い胴を強調し、……鋼や馬の毛などで広げたペチコートを着用し、その上から幾重にもスカートをはくという、大変な重量のものだった」そうです。

一九世紀の半ば、このような服装が、身体に与える影響を危惧したフェミニストたちは、健康上の理由でブルーマーとジャケットを考案したのですが、世間的にも不評だったようで、当時は定着しませんでした。

昨今、「ジェンダーレス」という言葉が若いひとたちの間でよく使われるようになりました。男女という性別にこだわらず、自由に自分らしく生きるという意味合いで、主にファッションに影響を与えています。学校の制服は元来、男子生徒はスラックス、女子生徒はスカートと決められていましたが、これも見直される傾向が出てきました。ランドセルの色なども男児は黒、女児は赤とほとんど決まっていましたが、カラフルなランドセルが作られはじめ、固定観念にとらわれることなく、好きな色を選べる時代になってきたのは喜ばしいことです。

ところで、バーネットの『自伝』によるとフランシスは当時の少女向け雑誌に出てくるヒロインの魅力的な姿を、事細かに優雅な表現で述べることに心を砕いていたとあります。「美人とは、ピンクの頬に、きらきらの青い目、または黒い目をしていて、髪の毛をかわいらしくカールして、素敵なワンピースを着ているひとだったのです」。

バーネットのこうした容貌に関する念入りな描写、美醜に関する繊細な感覚は、後の作品にも鮮明に表れていて、気にかかります。

たとえば、次男ヴィヴィアンをモデルにした『小公子』（川端康成訳）のセドリックは、ことさらかわいらしさが強調され、幾度もその描写が繰り返されているのです。「赤ん坊のうちから、柔らかい細い金色の髪の毛をふさふさとさせていた。半年も経つと、くるくるとかわいらしく縮れた巻き毛になった。目は大きく茶色っぽく、まつ毛は長く、大変愛嬌がある」「黒いビロードのズボンをはいたぼっちゃんのお姿ったら、誰ひとり振り返らない者がないほどですよ」というようにキリがありません。

『小公女』（畔柳和代訳）のセーラが初登場してきた箇所は「不思議な顔立ちの女の子」とあるだけでしたが、そのあと、「大きな目は一風変わった大人びた思慮深さをたたえている」。七歳にしては「ませた表情」と続きます。しかもセーラの言葉として「わたしはちっとも美人じゃないのに。……私の髪は短くて黒いし、目は緑。やせているし、色も白くない」と、自分を不器量と思っていたことが明らかにされます。でも、本当のところ、セーラは「不思議な魅力を備えている。体は細くてしなやかで、年のわりに背が高く、小さな顔は生き生きとしていて、魅力的だった。髪はゆたかで黒く、毛先だけ巻き毛だ。たしかに瞳はくすんだ緑だけれど、ぱっちりとした見事な目で、黒いまつげも見事に長い」というように、きめ細かく容貌を伝えているのです。

それに引きかえ、セーラの父親のほうは「若くて、美男で裕福で、甘やかしてくれる」と紹介するのみ。ミス・ミンチンに対しては「背が高くて面白みがなくて、お上品でみにくい。大きくて冷たい目は魚のようにどんよりしていて、顔に浮かべている笑みは大きく、冷たく、うさんくさかった」と容赦ない描写でした。

このようなバーネット独特の美に対する感覚、表現は、まさに今日のルッキズム（外見至上主義[*2]）を問題視する人びとからは、おおいに批判を浴びそうです。

しかし、一九世紀後半のヴィクトリア・ファッション盛んな頃の美意識を現代と比較して、そこに差別的な意味を見出すのは、少々気の毒な気がしないでもありません。『自伝』では、ヒロインは漠然としたぞんざいな書き方はしないで、ヒロインが持っている魅力を事細かな表現で誠実に述べることに夢中になっていたことが描かれています。

外見の良い悪いは、彼女にとって、作品の人物像を端的に表すための特別な手法だったと考えられます。バーネットにおける美醜の問題は、その作品世界を構築する上での重要な要素となっているのでしょう。

ジェンダーに逆らう？

『小公女』のセーラはまだ子どものうちからジェンダーの典型的な女の子像であることに

対し、『秘密の花園』（猪熊葉子訳）のメアリー・レノックスについては、かわいげのない醜いアヒルの子同様に描かれていました。セドリックの「かわいらしさ」やセーラの「美しさ」を基調とする単純明快な人物造形に比べると、かなり異色だといえます。

メアリーのお母さまは「すらりと背の高い美人で、何とも美しい服を着て」「その巻き毛は絹のようにしなやかで、かたちのよい小さい鼻」を持つ女性でしたが、対照的に憎らしくかわいくない女の子のメアリーは、主役でありながら最初の登場からして、次のように奇異な様相を呈するのです。「こんなみっともない子どもは見たことがない」「ほおのこけた小さな顔、やせ細った小さな体、かさの少ないうすい色の髪、気むずかしい顔つき。メリー〔メアリー〕の髪の色が黄色なら、その顔も黄色でした」。

二〇世紀初期に書かれたこの『秘密の花園』が、後世の読者を強く惹きつけるのは、ジェンダーバイアス[*3]のかかっていないヒロインを、描きだした点にあるでしょう。このように美しい容姿を持たないヒロインの登場は、メアリー以前には、シャーロット・ブロンテが描いた『ジェーン・エア』の主人公ジェーンと言われています[*4]。

さらにバーネットが、メアリーを類型的な美少女として登場させなかったことは、近代のフェミニスト批評家たち[*5]も、「理想化された子ども像や、昔ながらのヒロイン崇拝といった、今までの小説にあったモデルを故意に崩している」と注目しています。メアリーは「女らしさにも子どもらしさにもはめ込まれることを拒否して」おり、かわいい女の子というジェンダーのステレオタイプとは異なるヒロインなのです。あれほどヒロインの美醜にこだわっていたバーネットが、なぜこのようなヒロインを造形したのでしょうか。

バーネットは、女性らしさを強調する社会通念ジェンダーについて、明らさまに否定はしていません。けれども『自伝』の中で彼女は二人の兄に対してこう記しています。「男子としての経験と強い精神力を持っていると考えて、兄には敬意を払っていました。（英国の少女なので、男性が大変優位に立っていることはわかっていました。）……英国の男らしく、兄は、女の子だという理由で、その子〔フランシス〕を見下していたのです」

ここからは、バーネットが当時英国の男性優位社会における女性蔑視の風潮を内心苦々しく思っていたことが透けて見えます。

にもかかわらず、バーネットはオルコットのように、そうした風潮に強く反抗の叫びをあげることもありませんでした。メアリーは『若草物語』のジョーのように「男の子らしさ」に憧れる性格も持たせてはいません。しかも、メアリーの変身は、バーネットのジェンダーに対する不確かな向きあい方を、如実に示しています。

インド生まれの孤児メアリーは、英国の生活になじんでいくにつれ、身も心も成長していくのですが、それはまさに女らしくなっていく過程でした。ひねくれた不器量な女の子メアリーは、物語の後半では、秘密の花園によって癒され、病身のコリンを思いやり、熱心に世話する心優しい美少女へ変貌を遂げていきます。

結局『秘密の花園』は、ジェンダーの女らしさを獲得していく物語で終わるのです。しかも、コリンを世話、看護するメアリーのその役割は、まさに女の子だから負うべきものだったのでしょう。当然のように世話するのは女子で、世話を受けるのは男子という構図はまぎれもなく、ジェンダーの性別役割分担を思わせます。

メアリー自身も秘密の花園で自己を回復していくのですが、その過程の中で子どもから女性へと成長をとげ、女性としてのジェンダーの役割に組み込まれていくのです。

作者バーネットは、メアリーを究極的には当時の美意識やジェンダー規範にかなう少女として成長させ、ジェンダーの性を否定したヒロインの未来像を描けませんでした。当時の読者の期待に沿ったものともいえますが、今日の視点で見れば、そこがバーネットの限界だったのでしょう。

貧しき者への施し

『小公子』と『小公女』は、バーネット自身の、富める者から零落《れいらく》した幼い頃の辛い体験、その後の貧しい暮らしから一躍流行作家となり、贅沢な暮らしがもたらす幸せ体験から産みだされたものでした。『秘密の花園』の訳者猪熊葉子は、あとがきで次のように説明しています。「貧乏は自分の真の姿ではない、いつかきっと以前のような幸せな時代が訪れるとバーネットは常に信じているロマンチストでした。後年作家として成功した時、衣服に惜しみなく金を使い、しきりに客を招いて盛大にもてなしたといいますが、それは少女時代からの確信を実現するためにぜひとも必要な手続きだったのでしょう」。

『小公子』の主人公セドリックは、貧しき庶民階級から抜け出て貴族としての富裕層に身を置くことになるのですが、このあたりには、バーネット自身の体験が生かされていると考えられます。

『小公女』のセーラは、パパの財力にものを言わせて、自分のイメージにぴったりの贅沢なフランス人形を探すというブルジョワ趣味の少女で、インドの貴族の娘に間違えられるほどです。ところが、富裕層に属していたセーラも、パパが亡くなるや、急転直下、一番下の階級に落ちることになってしまうのです。

ここにも、バーネットの不遇な子ども時代が反映されているといえるでしょう。『自伝』によれば、フランシスはイズリントン・スクエアというかつては上流階級が住んでいた地区で暮らしていました。そこには、さびれたスクエアを取り囲む場末の通りに住む「通りの子ども」と、さらに貧しい「裏通りの子ども」たちがいました。フランシスはその界隈の喧噪や酔っ払い、暴力沙汰もつぶさに見ていました。当時は九歳になると働くことができたので、「裏通りの子ども」たちの中には、工場で働く大人たちに交じって働いている子もいたのです。幼いフランシスがこうした階級差、貧富の差に敏感だったということは、容易に想像がつきます。

セドリックは富める者の側に身を置いた時、その生来の純真さ、慈悲の心により貧しき者への施しを行っていきます。その行為が伯爵のかたくなな心を溶かしていくのです。また母親のエロル夫人も身をもって人びとのために尽くすよう、セドリックに教え諭していました。「優しい、親切な心が、どんなにこの世の中で大切で尊いものであるか、よくおわかりになることと思います」と、翻訳の川端康成は、巻末の文（新潮文庫）で、子どもの読者たちに語りかけています。

この優しい、親切な心、すなわち、慈悲、博愛ともいうべき精神は『小公女』のセーラにも顕著に見られました。セーラは裕福な時に「もし、私がプリンセスだったら——民衆にお金や物を与えることができるのに。でも、真似事のプリンセスにすぎなくても、人のためにできるささやかなことなら作り出せる。……これから先、人が喜ぶことをするのは、大勢にほどこしをすることだと思うようにしよう」とつぶやくのです。

そして自身が逆境に陥った時さえ、過酷な労働、空腹や寒さに耐え、自尊心を守り続けたのでした。しかもそんな苦境にあっても、ひもじくて自分よりもっとつらい思いをしているであろう女の子にパンを分け与えるのです。少女の頃、私が感動したのはこのシーンでした。

でも、物語はそこで終わらず、セーラはパパの友人に出会い、再び元の裕福な身分になったのですが、その女の子に自分と同じような人への思いやりの心を教えるのです。私はこの広い心、いわば「シスターフッド」ともいうべき連鎖に、後年読み返してまたもや心打たれたものです。

バーネット自身も家族や親類や友人や、多くの恵まれない人びとに、寛大で温かい援助の手を差しのべ続けたと言われています。セドリックやセーラの優しい親切心や施しは、バーネットの慈悲の心や慈善行動と重なっていたのです。

「英国のレディ」のふるまい

それではバーネットのバックボーンである親切心や慈悲は、どのように培われていたのでしょうか。

『自伝』では、「親切にするのですよ。ひとには思いやりを忘れないように。お年寄りを敬い、使用人には礼儀正しくふるまい、貧しいひとにはよくしてあげなさい。決して無礼を働いたり、不作法なことをしたりしてはいけません。いつも小さなレディであるのを忘れないでね」とママが教え諭しています。

「レディ」[*6]という言葉を、彼女はママの信条として受け止め、セドリックがママを称賛するときにも頻繁に用いられています。バーネット自身も、ママを小柄な「英国のレディ」

と誇らしげに語っていたものでした。『自伝』の訳註によると「レディ」はもともとは、貴族の令夫人や令嬢の敬称であり、貴婦人を意味する言葉でしたが、一九世紀半ばあたりから、中産階級の女性にも使われるようになったそうです。

川端有子は『少女小説から世界が見える』の中で、この「英国のレディ」を、セーラの英国人としてのアイデンティティー、英国人としてのジェンダー役割を意味していると指摘しています。英国における「女らしさ」とは「レディ」「淑女」という身分を伴うものでもあるのでしょう。

バーネットは『自伝』でこのように綴っていました。

「穏やかな慎み深い家庭では、男の子と女の子は『紳士と淑女』でなければならないとわかっていました。そのためには、犯してはいけない罪がいくつかあったのですが、それを犯さないようにするのはなかなか大変でした。つまるところ、『紳士』と『淑女』という言葉には、ある種の古風な威厳がそれなりに備わっていると英国人は考えていたのです」。

さらに、まだ貴族制度や階級社会があった当時の英国では、女性は高貴な身分の「レディ」「淑女」であるからには、身分の低いものたちへの施しをしなければならないと考えられていたようです。それが「高貴な身分に伴う義務*7」であり、すなわち慈善事業を意味していました。

バーネット自身は、「英国のレディ」としての誇りを強く抱いていたため、後年、長男ライオネルを失ったあと、障害のある子どものための基金を集める運動や、少年クラブの設立など、ライオネルの名前を冠した慈善活動を盛んに行ったそうです。

愛国心とアイデンティティー

『小公子』のセドリックの父親は、英国のドリンコート伯爵の三男で、若い時に伯爵が毛嫌いしている米国の若い女性と勝手に結婚したために、勘当に遭い、やがて病死してしまいます。セドリックはその優しく美しい母親と貧しいながらも幸せに暮らしていました。

セドリックは、食料品店のホッブスさんとは大の仲良しで、毎日政治談議をするのが楽しみになっていたのです。『小公子』が出版されたのは一八八六年ですから、この作品にはそれ以前の政治状況がかなり反映されていたと考えられます。

オルコットが『若草物語』を書き始めたのが一八六七年。彼女の日記によると、さかのぼること一八六五年九月一二日は、マサチューセッツ州コンコードの植民二五〇年記念祭があり、「愛国心と忠誠心」などの講演が行われ、大盛会だったとあります。奴隷制反対や婦人参政権運動が盛んになっていくにしたがい、米国の国民の間には独立戦争以来の英国への敵対心にも火がつき、愛国心や国への忠誠心が醸成されてきたようです。

その二〇年あまり後、『小公子』の中で、根っからの愛国者だったホッブスさんは「イギリス人が大嫌いで、あるとき、セドリックに独立戦争の話をすっかりして聞かせて、敵の悪いところと、独立軍の兵士の話を、大変力を入れて話してくれた……」。

セドリック自身も、伯爵のおじいさまから「おまえはイギリス人なんだよ」と厳しく言われたときに「だって、ぼく、アメリカで生まれたんだもの、アメリカ人でしょう。誰だって、アメリカで生まれたら、アメリカ人じゃありませんか」と口答えし、「ホッブスさんが、そう言ってたんですよ。もしイギリスと、戦争でも起こった時には、ぼくはアメリカ人じゃなくっちゃ、いけないって」と相当な愛国少年ぶりを発揮するのです。

一方セーラはインドで生まれ、フランス人の母が亡くなったのちは召使いに育てられ、フランス語を母国語のように話し、英国の学校で寄宿生活を送るというバイリンガルです。セーラは歴史上の不幸な王妃マリー・アントワネットにこの上なく傾倒しており、フランスに親近感を抱いていたのは歴然でした。

メアリーもインドで生まれ、召使いに育てられ、両親が亡くなると、九歳で英国の伯父のもとに引き取られていきます。そのとき悪態をつく男の子から「君はもうじきお国へ帰されちゃうんだぞ」と言われ、メアリーは「お国ってどこよ?」と聞き返します。すると「お国を知らないいんだってさ、へーえ驚いた!」とばかにされ「イギリスだよ」と教えられるのです。

このような子どもたちにとって、どこが祖国なのかを認識することさえ難しかったのではないでしょうか。愛国心を吹き込まれても戸惑うばかりであったのは無理ありません。『自伝』でバーネットは英国と米国の子どもの違いを次のように記していました。「ふたりとも〔フランシスと妹イーディスのこと〕、英国の質実な子ども部屋で、非常に因習的に育てられた英国の子どもでした。そうした暮らしからは、大胆さや進取の気性は育ちません。米国人から見れば、ふたりのものの見方は信じられないほど幼く見えたでしょう。米国の子どもだったら、もっと冷静で、権威に対してむやみに敬意を払いはしなかったでしょう」と。二つの国の違いを、子どもながらに鋭く感じ取っていたのです。

英国で生まれ育ち、一五歳で米国に移住、その後ほとんど欧米を行き来し、結局五八歳で米国に安住の地を見つけ帰化したバーネット。自分の国はどこなのか、いやどの国を自国とするか、バーネット自身も悩み続けたのではないでしょうか。それだけに、愛国心は避けて通れなかった難題であったにちがいありません。

だからこそ幼い素直なセドリックにとっても、どの国を愛するかは切実な問題だったのです。自分の居場所と密接に関わるからこそ、伯爵に逆らったのだといえます。

いずれにしても、これらの三作品はインド、英国、フランス、米国という諸国と深い関係にあり、その多様な文化の中で、主人公三人の子どもたちがどの国を自分の国と考えるか悩みつつも、自己のアイデンティティーをどのように確立していくかが、共通のテーマではないかと考えられます。

バーネット自身の半生と重ね合わせて考えると、これらの作品は単に愛国心を鼓吹しているような作品とは、明らかに一線を画しているのです。

ところで、バーネットが『小公子』において、児童書であるにもかかわらず、政治情勢、あるいは、愛国心などについて触れている点は注目すべきことではないでしょうか。

バーネットの政治や社会への関心は、米国の南北戦争によって英国の綿業が圧迫されていく様子が『自伝』中に詳細に語られていることからも、並々ならぬものであったことがうかがわれます。

『自伝』によると彼女はマンチェスターの綿織物業の中心地にいて、「綿業王」と言われる金持ちの存在や、労働者階級が綿花によって暮らしが成り立っていたことを理解していたようです。そして、米国の南北戦争が長引き、綿花が入ってこなくなると、工場が次々と閉鎖されていき、「綿花飢饉」が起きたことも記されています。

「アメリカの戦争が終ってくれさえすりゃ、腹すかすこともねえのに」と工員たちは愚痴を言い合っていたのです。食べるものもない困窮者に対し「無料食堂」（スープキッチン）が設けられたという、今の世相と似通った興味深い記述もあります。

この南北戦争の余波で、幼いフランシス一家は貧乏のどん底に落ち、米国移住を余儀なくさせられたのですから、バーネットは経済や政治を切実な問題として受け止めざるを得なかったのでしょう。

姿が見えなかった父親

一九世紀の米国は南北戦争の影響で、「父なき時代[*8]」であったと言われています。『若草物語』においてもマーチ家の家長である父親は、従軍牧師として戦争に行ってしまい、家庭の中では希薄な存在でした。作者オルコットの実の父親は、理想主義に燃え、家族の精神的支柱であったとしても、各地を講演するため留守がちで、実生活上は父なき家庭でした。『赤毛のアン』の作者モンゴメリは、実の父親に対して愛憎が交錯する複雑な思いを抱いていましたから、アンは生まれて間もなく両親が亡くなり孤児になるという設定にして、父親の影すら消しています。

このように児童文学では主人公が親と離され、悲しい境遇の中で健気に生きていくというストーリーがよくみられます。

それでも、バーネットのように一人の作者によって、これほどまで父親不在、親のない子どもを主役にした作品は、例がないのではないかと思います。

『小公子』の冒頭はこう始まります。「セドリックは、父のことについては、本当に何も知らなかった。誰ひとり、教えてくれるものが、なかったからである。でも、イギリス人だということだけは、母から聞いて、知っていた。父が亡くなった時には、セドリックはまだ小さかったので、よく覚えてはいなかった」。

父が病気だった時はよそにやられていたので、セドリックの父の記憶は、大きな人で青い目をして長い口髭をはやしていたという程度でした。しかも、セドリックは、子ども心に父のことは母にあまり聞かないほうがよいとわかっていました。その後も伯爵から母親とさえ別居を強いられたのですから、父親の影は薄いまま育っています。

セーラについて言えば、父親はセーラを寄宿学校に預けたのち、間もなく破産してインドで亡くなってしまうので、彼女にとっても父親の影は薄いといえます。

『秘密の花園』のメアリーの父親は、英国政府の官吏《かんり》で、いつも仕事がいそがしい上に、病気がちとだけ説明があります。コレラが怖ろしい勢いで広まり、人びとが死んでいったときも、メアリーは、父親にも母親にも構われず、忘れられた存在でしたし、その後両親が亡くなったことも知らされず、置き去りにされていました。

コリンの父親は、愛する妻の死がコリンに因《よ》るものと思い、息子を疎《うと》んじ、いつも旅行に出かけて不在です。病床のコリンは生まれた時に母親が死んだので、一度も母の温かみを知らず、召使いの世話を受けながら育っていたのです。

これらの作品が、両親を語る時に、「死」から始められるというのは、確かに異様です。さらにどの主人公も幼い時から親と切り離された生活を強いられているのです。両親の愛情深き庇護《ひご》のもと幸せな幼少期を送ることは望むべくもない主人公たち。その理由が父や母の予期せぬ死であったり、父から疎まれていたためということは、まさに不条理な設定ではないでしょうか。

バーネットは、父親との死別について、『自伝』の中で、次のように刻み込まれた記憶を辿っています。

「その子が四歳のときに、家のなかで、奇妙で深刻な出来事が起こりました。……それは父親の死でした。その子は、乳母と子ども部屋で暮らしていたので、父親とはそれほど親しくなく、たまにしか会うことがなかったのです」「のちに、『かわいそうなパパ』が亡くなったと聞いたときには、説明がなかったので怖くなく、謎のような気がしただけでした。……幼少の子どもにとって、死は漠然としていて、とらえにくい概念であったのは、疑いようのないことです」。

幼い時に覚えた得体のしれない恐怖について、幼いフランシスは、それが「死」によるものだということをはっきり認識できなかったようです。ことに、セドリックとメアリーに父親の死に対する悲しみや激しい感情が見られないのは、バーネットのこの幼少期の体験が強く影響していると考えられます。

『自伝』では、その父親の死後、フランシスは心臓病で死んだ同級生の男の子や、かわいい小さな女の子の突然死を体験します。この二人の亡きがらに対面した時もフランシスは悲しみを感じず「奇妙なもの」として覚めた目で見つめていただけだったとあります。ただ、セーラが父親が亡くなったことを聞かされた時は、その悲しみの強さは異なっていました。バーネットは四〇歳で長男ライオネルを失っていますが、それは、『セーラー・クルー』を加筆した『小公女』を書く前でしたから、死の悲しみや、愛する人を失った喪失感は、切実に受け止められたのではないでしょうか。それらが、セーラにはきわめて強く投影されているように思えます。

さらに、バーネットは『秘密の花園』のコリンに亡き長男ライオネルを投影させていたのかもしれません。ライオネルは亡くなったけれど、コリンはどうしても病いから回復させ、父親との仲も再生させたかったのでしょうか。コリンへの想いは、ライオネルへの鎮魂なのだと、思われてなりません。

それにしても『秘密の花園』のラストシーンは予想外なものです。影の見えなかった父親が、突如現れます。すると、歩けるようになったコリンが、父親クレーブン氏に自分の足で駆け寄るのですが、この感動的な驚くべき出会いのシーンになぜか、メアリーは描かれていません。ギリシャ神話の「パンの神」[*9]のようなディッコンの姿も見られないのです。

一九九三年の米国の映画『秘密の花園』[*10]では、コリンとクレーブン氏が並んで丘に立つシーンに、メアリーがあとを追いかけ、さらにコリンが仔馬に乗って走っていくシーンが付け加えられていました。

では、なぜ作者バーネットは、意図的にこの二人を排除したのでしょうか。

ひこ・田中は『大人のための児童文学講座』で「ここにあるのは、妻の死によって家庭から逃避していた男が、舞い戻って父親の役目を果たせるようになったのを言祝《ことほ》ぐことだけ。最初、主人公であったはずのメアリーは、いつのまにか、父と息子の絆を再生するための道具にされてしまっています」と憤っています。

先述の『本を読む少女たち』の二人のフェミニストは、さらに手厳しく「コリンは庭をあとにし、本当の権力中枢でもある館に戻っていく。そこは、彼が次代のあるじとして、受け継ぐところなのだ」、続いて「この場面は、女性を排除した男同士の絆を誇示するものといえよう」と酷評していました。

重要な結末において、またしてもメアリーは家父長に置き去りにされてしまったわけですが、バーネットは、そこに主とした舞台から消される女性、常に隅に追いやられる女性の存在を批判を込めて描いたとも考えられます。

バーネットは男性優位の社会を声高に批判したわけではありませんが、女性蔑視の状況には内心怒りを禁じ得ず、ジェンダーに抵抗したことは否定できません。しかし、『秘密の花園』の最後でメアリーを描かなかったことは、いや描けなかったのは、ジェンダーに抗う女性像を持ち得なかったからでしょうか。「花園の秘密」は解けないままです。

母との関係

一方、主人公の母親への思いと父親に対する描写とは、それぞれ異なります。

セドリックは、ママが大好きで「いつでも、二人で、なんでも話し合っていたんです。……大きくなったら、働いて、ママにお金を儲けてあげるんです」とパパの代わりにママを大事に思うばかりでなく、「ママのようなきれいな人って、ほかに、ぼく、知りませんね。世界中で、一番きれいな人だと思っているんです」と、ママを恋人のように慕っていました。

ところが、セーラのほうは「母親はセーラを産んだときに亡くなったため、セーラは母を知らず、恋しく思ったこともなかった」とにべもない描写です。

メアリーの美人のお母さまにしても「パーティーに出かけ、陽気な人びととつき合うことしか頭にない人でした」から、「小さな女の子なんかちっともほしいとは思っていませんでした」し、メアリーが生まれるとすぐその世話を乳母に任せてしまい、ほとんど育児はしていないのです」。メアリーも、「本当をいえば、ちっともお母さまが恋しくはありませんでした」。

コリンはといえば、母親のクレーブン夫人が、庭のブランコが壊れて落ちたため、早産し亡くなるという不幸の種を背負って生まれています。そのために母親を知らずに育ち、母親をイメージすることもできないのでした。

このように、セーラやメアリー、コリンの母親は存在さえ否定されているのですが、セドリックのママは優しく慎み深い当時の理想の母親像のようでもあります。

一方、『秘密の花園』で、ディッコンの母親スーザンを母性の象徴ととらえているのは、作家の梨木香歩[*11]です。亡くなったコリンの母親に代わるものとして、「土俗性を持つ、懐深い大地の化身のような」スーザンは、「秘密の庭」を初めて訪れます。コリンが「おばさんがぼくのお母さんだったらいいのになあ」と言うと、「彼の生まれてからそれまでの、母親不在の生活の寂しさや孤独が切々と伝わり」、スーザンはコリンを思わず抱きしめ、涙ぐむのです。梨木香歩が言う母性とは、「温かで力強く、土の匂いのするような胸」に象徴されています。このようにバーネットは、『秘密の花園』のスーザンを通して、母性というものの理想を描いたと考えることができます。

バーネット自身は『自伝』の中で「ママは、親切で飾り気のない小柄な英国のレディで、純真で温和なタイプのやさしいひとでした」と記しています。「ママの純粋でやさしいこころは、本当に美しいものでした。子どものこころと同じように単純で、あらゆるものに思いやりがあり、寛大な親切心に溢れていました」とママを称賛していました。

それにしても、少女が主役の『小公女』『秘密の花園』の二作品の中では母親の存在も、かなり希薄であり、母と娘の間の葛藤も描いていないのは不思議です。

バーネットの『自伝』では一七、八歳くらいまでの記述しかなく、母親が亡くなったとき、彼女は二〇歳でした。以後大人となっていく過程で女性として突き当たる壁や悩みについて、母に相談する機会は奪われてしまったといえます。子どもとして母親を素晴らしい存在のように見上げた位置は知っていても、大人となって、自身が母親となった時のロールモデルは持ち得なかったのでしょう。そのためにこの二作品において、バーネットは思春期の娘たちに対する母親像を描けなかったし、あえて描かなかったのかもしれません。

「共和国の母」と「家庭の天使」

それでは、フェミニズムではこの当時の「母性」をどう見ているのでしょう[*12]（フェミニズムにおける母性のとらえ方はさまざまで一概にはいえません）。

一八世紀後半米国の独立戦争当時は「共和国の母」という思想が主流を占めていました。母親として息子たちを道徳的なすぐれた市民に育てることが、愛国者の義務とされたのです。家庭内の母親役割、すなわち将来の国民を健全に育てる女性たちの役割が強調され、それが「母性」として位置づけられていったといいます。

そして女性は家庭の中にいて、家事も無償であるために、つまり見返りを求めないということで、かえって主婦としての女性の存在が美化されるようになったのです。一見矛盾しているようですが、男性優位社会の中でも主婦であり、母である女性たちは、その存在感を増し、地位が向上していったといわれています。

その後も一九世紀になると、都会に住む中流階級の女性は、キリスト教的な道徳的規範を重んじ、家庭のことや母親の役割を重視し、居心地の良い家庭を維持することに熱心に努めました。そのため、女性はしばしば「家庭の天使」[*13]などと呼ばれるようになります。こうして「母性」はヴィクトリア朝的「家庭」における美徳の名のもとにもてはやされましたが、素直にそれを受容した女性たちばかりでもなかったようです。

しかも中には、次第に家庭内に収まりきらず、社会に出て教会での活動や布教活動に熱心に取り組む女性たちも現れます。

とはいうものの『秘密の花園』が書かれた当時の男性優位社会においては、女は、夫と家庭に尽くすべきという考えは、依然根強くありました。仕事と家庭を両立させようとする女性への風あたりは強かったので、女性の作家は、良き主婦として家事、育児を担いながら書き続けなければなりませんでした。一躍名を遂げたバーネットでさえも、例外ではなかったでしょう。

今日においても母性を「女性のもつ母親としての性質、それが本能的に女性に備わっている子どもを産み育てる資質」と見る人が少なくありません。いわゆる「三歳児神話」は母性の神話化であり、三歳までは母親が育てるべきという社会通念となっています。日本ではすでに大正期に母性保護論争が展開されたにもかかわらず、多くの人はいまだに母性の呪縛から逃れられないのではないでしょうか。そのため女性の社会進出が著しく阻まれ、日本はジェンダー平等が遅れたといっても過言でありません。ただ最近では、荻野美穂による「いわゆる母性愛は本能ではなく、母親と子どもの日常的なふれあいの中で育まれる愛情である。それを『本能』とするのは、父権社会のイデオロギーであり、近代が作り出した幻想である[*14]」という説に賛同する人も増えているようです。

「花園」の秘密

『自伝』によるとフランシスは、英国マンチェスターのスクエアに住んでいた頃、空き家となった大邸宅の閉ざされた庭を見つけました。そしてある日その荒れ果てた庭の扉が開かれていたのでした。彼女は思い切って中に入り、そこでいつもの「ふり」をして想像をめぐらしました。ごみの山は花の小山になり、貧弱な緑の植物にかわいらしい名前をつけては楽しんだのです。『秘密の花園』で、荒廃し閉ざされた庭の扉を見つけて中に入り込んだメアリーは、まさに、幼かったフランシスそのものでした。高い塀に閉ざされた庭は、外から遮断されたメアリーを象徴したものだったのです。

『秘密の花園』にインスピレーションを与えたのは、この英国のスクエアとケント州のメイサム・ホールの二つだと言われています。が、『自伝』では幼い時に英国で出会った居心地のよい田舎風の家の周りの大きな裏庭の様子を「魔法のかかった庭」と綴っていました。バーネットはその庭も忘れ難かったのでしょう。

『秘密の花園』冒頭の冬のムーア（荒野）の荒涼とした風景も、そのまま頑ななメアリーの心象風景と重なります。けれども、春が来て、ディッコンとの遊びを通じて、メアリーは自己回復への道を歩み出すのでした。そして、メアリーの影響を受けたコリンも生き返っていくのです。

『秘密の花園』では、春の到来を「太陽がメアリーの上に光をそそぎ、暖かなかぐわしい匂いが風にのってただよってきます。どの茂みからも、どの木からも、小鳥たちのさえずりが、鳴きかわす声が聞こえてきます」と感動的に描いています。この歓びに満ちた素晴らしい庭の様子は、バーネットが『自伝』の第一四章「木の精の日々」で描いている米国テネシー州の自然そのものでした。そこで出会った小鳥たち、コマドリ、スズメ、ブルーバード、ツグミ……、野の花たち、スミレ、ハナミズキ、野バラ……。ここではもう、バーネットは幼いフランシスの時のように、『小公女』のセーラのように、「ふり」をしなくてもよかったのです。

『秘密の花園』は、しばしばヨハンナ・シュピリの『ハイジ』との類似点が指摘されます。背骨が曲がる恐怖から寝たきり状態のままのコリンと、片足が不自由で歩くことのできないクララ。その頃の医学的な知識や医療では、治癒し、障害を克服するのは至難の業であったでしょうが、双方の作家は、自然界の新鮮な空気、日の光、芳しい木々や色とりどりの草花などにより癒され、その結果、旺盛な食欲を満たし、次第に健康になるという奇跡的な回復を描いています。そしてその手助けをするのが、コリンに対してはメアリーやディッコンであり、クララにはハイジとおじいさんと医者でした。

さらに『秘密の花園』ではその庭が持つ不思議な魔力を描いています。

バーネットは、一九世紀当時流行した「クリスチャン・サイエンス」[*15]の熱心な信奉者であったそうです。「クリスチャン・サイエンス」はメリー・ベーカー・エディにより、米国マサチューセッツ州ボストンに創設されたキリスト教の一派と言われていました。「深く信じること、強く念じ、繰り返し唱えることが、人の日常生活にも大きな力を持つことがある」という考えで、メアリーやコリンが「魔法」と呼ぶものと思われます。コリンが「ぼくはいつまでも生きるぞ、いつまでも、いつまでも！」と念じたそのことが、はるか離れたクレーブン氏に伝わったのも、この「魔法」と見られています。

しかし、バーネットの短編『白い人びと』の訳者中村妙子は、そのあとがきで「バーネットは晩年、信仰の力により精神療法を唱えるクリスチャン・サイエンスに惹かれていたそうですが、『わたしのコマドリくん』や『庭にて』を読むと、むしろ、終生、自然の美に感応し、そのうちに没入する性向のひとだったんじゃないかという気がします」と説明しています。

『自伝』では次のようにバーネット自身が明かしていました。

「幼いころの超自然的な体験はすべて病的だと言われていますが、もしそうだとしたら、この恍惚感は、ただの気分で片付けるにはやっかいなものだったので、いだいてはならないものだったのでしょう。けれども、それはうっとりするような喜びでした。非常に繊細で奇妙なものだったので、誰にも言わずに秘密にしていました」

後年のエッセイ「庭にて」に描かれているニューヨーク州ロングアイランドのプランドームに移り住んだのは一九〇八年。そこで、庭好きのバーネット自身が庭造りと執筆に明け暮れ、『秘密の花園』を出版したのは、ほぼ三年後の一九一一年でした。

「庭にて」でバーネットは最後にこう記しています。

「庭を持っているひとには未来があります。未来があるかぎり、ひとは本当の意味で生きているのです」

ロンドンのうす暗い裏町の荒れた庭から抜け出たバーネットは、晩年にようやく光あふれる庭に到達したのでした。

第3章

「アン」と「エミリー」

光と闇のはざまで——ルーシー・モード・モンゴメリ

日本の少女たちはなぜ『赤毛のアン』に熱狂したのか

戦後間もない一九五二年、村岡花子の訳により出版された『赤毛のアン』は、今日に至るまで実におよそ七〇年間も日本の少女たちに愛されてきました。作者モンゴメリがカナダでこの本の原書『Anne of Green Gables』を出版したのは一九〇八年ですから、なんと一一〇年余が経過したわけですが、その人気は衰えるところを知りません。

物語の舞台となったプリンス・エドワード島は、若い女性だけでなく、夢見る頃をとうに過ぎた中高年女性たちにとっても憧れの地であり続けたのです。ことに自然が織りなす素晴らしい風景の数々、「頭上には香り高い、雪のような花が長い天蓋のようにつづいていた」「月の光をあびて一面に白く咲いた桜の花の中で眠る」などなど、ロマンチックな表現に読者は心を躍らせます。[*1] プリンス・エドワード島の美しい自然や、牧歌的な田園風

景は日本ではなかなか見られません。アンが名付けた「輝く湖水」「恋人の小径」「緑の切妻屋根」などの聖地めぐりは相変わらず人気のツアーのようです（ここ数年はコロナ禍で渡航は禁止されていましたが）。

残念ながら、私はまだプリンス・エドワード島を訪ねたことがありませんが、いつかは訪ねてみたいと切に願っています。

ただ、日本の少女たちが憧れたのは風景ばかりではありませんでした。『赤毛のアン』は、はるか昔の素朴な暮らしぶり――手作りのレモンパイのお菓子（モンゴメリは料理が得意でした）、アンが欲しがった袖の膨らんだドレス、パッチワークキルト――その数々に、日本の少女たちはまたたくまに魅せられました。

『赤毛のアン』が世に出た頃の日本は、戦後の物がない時代から急速に朝鮮特需に沸いたものの、再び不景気の波に襲われていました。そんな閉塞《へいそく》した雰囲気の中で、当時の少女たちはまさに異国の香りあふれる文化を、アンを通して味わっていたのです。

私が『赤毛のアン』に出会ったのは中学時代なので、もう少し後の一九六〇年代の高度経済成長期になります。テレビが普及し始め、アメリカのホームドラマ「パパはなんでも知っている」などが放映され、英米の文化が日本の茶の間を席捲《せっけん》しました。ようやく家庭を舞台にした健全なドラマや児童文学を歓迎する土壌ができつつあったといえます。[*2]

村岡花子は『赤毛のアン』のあとがきで「我が国出版界の貧困の一つは健康な家庭文学の乏しさにある現在、若い世代の永遠の寵児《ちょうじ》ともいうべき『赤毛のアン』を世に送ることの出来るのに無上の喜びを感じながら……わが心の妹たちにささげます」と感動を交えて記しています。

『赤毛のアン』は、それまで日本で人気のあった大正期の情緒的な「少女小説」とはかなり趣が異なります。アンのような潑溂《はつらつ》とした少女を主役として、あたたかい健全な家庭や共学の学校生活を描いた日本の児童文学は、その頃あまり見られませんでしたから、親世代にも好意的に受け止められたのでしょう。アンとギルバート・ブライスの二人は、けんか友達であり、受験勉強の上でもよきライバルでした。しかも、『赤毛のアン』は安心して読める淡い初恋物語でもあったのです。このような甘酸っぱい、じれったい、あいまいな関係も日本人好みだったかもしれません。

小倉千加子[*3]の『「赤毛のアン」の秘密』によると、アメリカの少女たちはもっと厳しい現実を生きているから、ロマンチックな〝ハーレクイン・ロマンス〟[*4]的な『赤毛のアン』はそれほど人気がないのだそうです。とはいえ、これまで何度か映画化もされ、最近はカナダのテレビドラマ[*5]でかなり大胆な新しい解釈を加えたアンシリーズまで登場して、賛否両論を巻き起こしていました。やはり今なおアンは「永遠の寵児」であり、原作は輝きを失っていないのです。

それにしても、なぜ日本の少女たちは、アンという主人公に夢中になったのでしょう。村岡花子がアンに抱くイメージは、「若い女性の清純さ」であり、「それがいつの時代になってもあこがれとともに愛される理由」としています。けれども、少女たちのアンへの憧れは、「清純さ」だけにはとどまりません。

私が少女期に抱いていたアンの印象は「男の子に負けない、強い女の子」でした。アンがギルバートに赤毛をからかわれて、石盤で頭をたたいた場面にまず驚かされました。こんな元気な女の子が物語の主人公として登場しているのです。自分のプライドを守る行動力、男の子に屈しない芯の強さ、教師の屈辱的な罰への怒りと登校拒否という抗議、冒頭から続くこの一連の行為はとてもまねができません。

不幸な境遇にもめげず、不屈の意志で運命を切り開いていくアンの生き方は、まさにジェンダーに抗っていたと、今なら言えます。ジェンダーという言葉や概念を知らなかったとしても、アンは当時の日本の少女たちを目覚めさせたに違いないのです。

ただ、今日的なジェンダーの視点でとらえようとすると、アンは一筋縄ではいかず、かなり屈折した複雑な存在だともいえ、疑問がわいてきます。作者モンゴメリはアンを通して、あの長いシリーズで何を描こうとしたのでしょうか。私は自分の中のアン像を再構築したいという思いにかられて、モンゴメリの生涯を追うことを始めました。

ところが、彼女の一生は、知れば知るほどあの負けん気の強いアンを描いた作家のイメージとはかけ離れていました。職業作家として脚光を浴び、経済的にも自立した女性とは思いもよらぬ孤独と苦難に満ちていたのです。

彼女の自伝や日記、書簡、解説書等々から浮かびあがってくるモンゴメリの実像は、アンと酷似しているとはいえ、屈折してとらえどころがありません。『赤毛のアン』の研究者は、モンゴメリはアンだけでなく、もう一人の分身であるエミリーに、自分自身の生い立ちや生涯を投影させたと説いています。それでは、彼女はアンやエミリーを通して、当時の少女たちにどんなメッセージを残したのでしょうか。

ここでは、モンゴメリの生涯を辿りつつ、アンやエミリーの物語からジェンダー的表現をあぶり出してみます。そこに込められた彼女の真意を読み解くことによって、今を生きる少女や大人になった女性たちが受け継ぐべきものは何かがわかるに違いありません。

望まれない女の子

モンゴメリは、自叙伝『険しい道』によると、以前書き留めておいた色あせた覚書きを見つけて、アンの着想を得たといいます。「年寄りの夫婦が手伝いの少年を孤児院に依頼する。ところが手ちがいで、女の子が夫婦のもとに送られてくる」。

このようにアンは物語の最初から、望まれない女の子の孤児として登場します。マシュウ・クスバートに連れてこられたアンの目の前でマリラは、欲しかったのは農場の手伝いの男の子だったと冷たく言います。当時のジェンダーの観念では、力仕事は男の子の役割で、アンのような女の子は役に立たないと、高齢の二人が思いこんでいるのは仕方ありません。そこでアンは「男の子じゃないもんで、あたしをほしくないんだわ。やっぱりそうだったんだわ」と激しく泣きじゃくります。

でも、その次の場面では、すぐさま、悲劇のヒロイン気取りのアンが名前へのこだわりをとくとくとおしゃべりし、その後は想像力で現実の厳しさを補うというアンの特異な気質を描くシーンが続いていきます。

いつのまにか作者の意図は、ジェンダーを批判することではなく、なぜかアン独特の性格付けに転換させてしまうのです。しかもこの後のストーリーでは、アンは空想癖が高じて、物語のお姫様に憧れ、女友達の前でヒロインを演じてみせるなどの滑稽なエピソードまで添えられます。ここではもはやアンの女の子らしさのみが強調されているばかりになっているのです。その後の物語の大半でも、アンが女の子であることに力点が置かれ、アンは家事能力を身につけるべく、マリラに苦手な料理を習い、針仕事に精を出すことまで描かれていました。

家族の一員として迎えられるには、女の子らしさを発揮しなければならなかったのでしょうか。斎藤美奈子[*6]は『挑発する少女小説』において、アンは孤児の少女が孤児院に帰されたくない一心で、女の子に期待される役割を懸命にこなしているのだという見方を示していました。だからこそ、少女アンの従順さは、居場所を求めて安住の地を確保するための無意識的な自己防衛だということを強調しています。

こうしてみると、全編を通して『赤毛のアン』は性別役割分業に根差した物語として出発し、組み立てられているかのようです。男の子は強くたくましく、女の子はかわいらしく優しくというような、ジェンダー規範が強く打ち出されているのです。

さらに、ジェンダーについての表現としては、『アンの青春』（赤毛のアンシリーズ2）で、双子の男の子のデイビーが妹ドーラの髪を引っ張って泣かせたので、マリラが叱ると「ドーラが泣いたのは、女の子だからさ。ぼく、男の子でよかったな」と言う場面がありました。その少し前にはマリラに「そりゃおばちゃんが女の子だったからだよ」とデイビーが悪態をつきます。ここで、モンゴメリは、なぜデイビーに女の子と男の子の違いをことさら言わせ、しかも男の子の優越感を表しているのでしょうか。デイビーは幼少期にあって、すでにジェンダーの概念を刷り込まれていますが、これに対し、モンゴメリはデイビーの態度をたしなめもしません。次の場面では、元気なデイビーのかわいらしさに、またしても話がすり変わってしまうのです。ここでも作者のジェンダーに対する姿勢に疑念がぬぐえません。

アンの生き方は、まさにジェンダー役割に沿う要素が強いため、作者モンゴメリがジェンダーを肯定しているかのように思われるかもしれません。私のような読者は、男勝りの生き生きとした少女というアンに魅力を感じていたので、アンへの期待は見事に裏切られてしまうのです。

ところが半面、アンはときには女の子らしさから逸脱してしまうお転婆な女の子でもあります。生来冒険心に富み、積極的で、負けずぎらい、向学心にも燃えているのです。これらは伝統的に男子に期待されている資質と思われていたでしょうから、アンは、ジェンダーに逆らった少女という見方もできます。

なぜ作者はアンという少女にこのような複雑な性格を持たせ、一貫した行動を取らせなかったのでしょうか。モンゴメリが、ある場面ではジェンダーの役割を肯定しているようであり、ある場面では批判しているように思われるのは、多くのジェンダー研究者も頭を悩ませてきたそうですから、読者が困惑するのもしかたありません。

菱田信彦[*7]は『快読「赤毛のアン」』で、アンの人物造型のちぐはぐさや、登場人物のジェンダーに対するあいまいな意識を、モンゴメリの策略として次のように分析していました。――モンゴメリは正面からジェンダー観念を批判するのではなく、アンがジェンダーの規範に順応しようとひたすら苦闘する様を描き、そうすることによってジェンダー規範そのものの滑稽さを浮かび上がらせるのだと。確かにそうした側面は否定できないでしょうが、モンゴメリがそこまで意図していたでしょうか。

私は、このアンの矛盾した性格や、物語のその場その場で相反するジェンダーについての意識は、実はモンゴメリの抱える混沌、あるいは二面性そのものだったのではないかと思います。

フランス人の男の子に対する蔑視

さて、マシュウは連れてきた孤児が女の子だったため、牧場の世話をする男の子として、フランス人のジェリー・ブートを雇います。マリラはその雇い人の男の子用の寝床として、台所の隣の部屋に粗末な籐椅子を用意していました。それがいくら清潔であっても、女の子をそこに寝かせるのはどうかとマリラは思い、アンには二階の切り妻の部屋をあてがうのです。この雇われ人としてのジェリーは、男の子であっても冷遇されていますが、なぜこのように差別的な扱いを受けるのでしょうか。

『赤毛のアン　注釈版』[*8]（以後、『注釈版』と略す）によると、当時のカナダ社会はフランス系住民に対する差別意識が充満していました。プリンス・エドワード島に住み着いたフランス系住民とスコットランド系住民の間には長い闘争の歴史があったのです。一七五四～六三年まで北米植民地でフランス・インディアン連合軍がイギリスと戦った「フレンチ・インディアン戦争[*9]」は、終盤にイギリス軍が圧勝します。それにより敗れたフランスは、北米植民地のすべてを失ったのでした。プリンス・エドワード島に移住したフランス系住民とイギリス系住民との対立意識は、その後も長く消えることがなかったそうです。

『アンの愛情』（赤毛のアンシリーズ3）では、アンやギルバートが学ぶ大学のある町、キングスポートの古風な雰囲気を次のように描写しています。「もとは国境の荒野のへりに臨んだ宿場だったが、そのころの移住者たちの生活はインディアンの来襲で絶えず単調をやぶられていた。やがてここはイギリス人とフランス人の争いの的となり、イギリス人に占領されたかと思うと今度はフランス人にというぐあいで、統治者が変わるごとに相闘う国民からあらたな傷痕をつけられてきた」。このようにかつてのプリンス・エドワード島の住民は、血なまぐさい闘いの中で、常に緊張を強いられて暮らしてきたのでした。

しかも当時、少数派となったフランス系人口の大半はプリンス・エドワード島東部に住んでおり、その少年たちは農場労働の多くを担う働き手として雇われることが多かったそうです。フランス人のジェリーもその一人でした。イギリス系の移民であるマリラが、ジェリーを「うすのろの、育ちきっていないちびのフランス少年」とひどく蔑むのも、そんな背景があったからです。

こうしたプリンス・エドワード島の地域を覆うイギリス系住民の優越感、差別意識は、歴史に根差した一般的な感情でした。とはいえ、『赤毛のアン』におけるこのフランス人に対する反感は、海外の識者の間でも問題視されているようで、私も受け入れられません。

孤児物語の顛末

一九世紀の後半から二〇世紀の初頭には「孤児物語」といわれる作品が、欧米で人気を博していました。モンゴメリが好んだ小説の主人公たちデイヴィド・カパーフィールド*10や、ジェーン・エアやハイジも孤児でした。本書で触れた『小公女』のセーラや、『秘密の花園』のメアリーもそうです。

モンゴメリは、自身の作品の中で『可愛いエミリー』のエミリーの他にも孤児を主役にした物語を書いています。これらの孤児物語は「両親や物資的幸福を失った子どもが、逆境にあってさまざまな困難と出会いながらも雄々しくそれを乗り越えて立派な人間になるというパターン」が共通していると、先述の小倉千加子は指摘しています。では当時、なぜこのように孤児を主役とした作品が多く書かれていたのでしょうか。「十九世紀から二十世紀の初めにかけて、ピューリタンの伝統の強いアメリカで、子どもの本が持つことを期待されていた教育的意図によって作り出された」のが理由だと彼女はさらに説明しています。

モンゴメリ自身も「書くのは好きだけど、ほとんどいつも教訓を入れなければならないという義務がなければ、もっといいんだけれど」と日記[*11]で不満をもらしていました。さらに『注釈版』の解説では、「孤児たちは、彼らの存在そのものにより、社会の既存の価値観に疑問を投げかけている」のだと述べています。

『赤毛のアン』では、孤児のアンを引き取り、マシュウとマリラの高齢の兄妹二人は疑似家庭を作り、子育てをすることになります。むろん、この二人は夫婦ではなく、アンとは血のつながりもないのですから、当時の（今も）家族、家庭という概念からは著しく外れています。このように、『赤毛のアン』は血のつながりのない親子関係を肯定しているところから始まる、特異な家庭小説と言えるでしょう。しかも孤児の存在を通して、伝統的な家族主義や従来の家庭の在り方、あるいは里子や養子縁組という非常に今日的な問題まで提起していることは、注目に値します。

『注釈版』によると、プリンス・エドワード島では一九〇七年まで孤児院がなかったので、親戚や知り合いなどが孤児の引き取り先を世話していたそうです。しかも農業が中心のプリンス・エドワード島では、働き手としてフランス系移民の少年ばかりでなく、イギリスの都市や地方からも孤児が連れてこられました。ロンドンのスラムから植民地の農村地帯に送られた子どもたちもいて、彼らは主に農場労働者として雇われていたのです。このような子どもたちを、リンド夫人が「ロンドンの街の浮浪児」と蔑み、マリラもカナダ生まれの子なら気心が知れているからよいけれど「ロンドン育ちの子はわたしゃごめんだ」と出生にこだわったのは、こうした複雑な背景があったからなのです。

女の子の孤児に対する世間の見方はさらに冷たいものがありました。『赤毛のアン』では井戸に毒を投げ込んだのが孤児院の子どもで、噂話の好きなリンド夫人は「それで一家はひどく苦しんだあげく全滅だったとさ。もっとも、男の子じゃなくて女の子だったたってことだがね」と言っています。

アン自身は、リンド夫人に言わせれば「どこの馬の骨だかわからない孤児」であり、両親を失った後は運命のなすがままに、トマスさんやハモンドさんに引き取られて、お手伝いさん代わりにこき使われました。その後、「あたしはホープタウンの孤児院に行かなくてはならなくなったの、だれもあたしをひきとらないものでね。孤児院でも満員だから入れたくなかったのだけれど、しかたなしにひきとったの」とアンはマリラに身の上話をしています。

このホープタウンの孤児院は一八五七年に設立されたハリファックスの孤児院がモデルと言われています。ここでは三歳から一一歳までの子どもが収容され、ユニフォームを着せられていました。

アンがマリラに「この三月で満一一になったの」とため息をついた理由ももっともな気がします。モンゴメリはあえて、アンが、孤児院を出なければならない一一歳という微妙な年齢でクスバート家に引き取られるという設定にしたのでしょう。

『注釈版』の著者ウェンディ・E・バリーによれば、「モンゴメリは、十八世紀にはじまり、かの女の時代にまで続いていた、孤児や貧しい子どもを安価な労働力として考える態度を追い払おうとした」のです。

さらに『注釈版』では「とくに弱い立場にある少女たちは、雇主や〝雇われ人〟たちのなぐさみ者にされる場合すら少なくなかった」と警告しています。

にんじんのような赤い髪で不器量、やせっぽちのアンは、まだ性的に未成熟で異性の目を引く存在ではありませんでした。アン自身も性の目覚めが遅い少女として描かれています。村岡花子が抱いた「清純なアン」というイメージは、ある意味、モンゴメリと村岡の合作ではないでしょうか。孤児アンという少女を、性的に搾取される悲惨な物語のヒロインにするのを意図的に避けたかったのでしょう。『運命の紡ぎ車』[*12]を書いた伝記作家モリー・ギレンによれば、後にモンゴメリ自身、「《アン》をいつまでも今のままに――少女のままに――しておきたいのです」と語っていたのですから。

モンゴメリの出自

前述のように、モンゴメリのどの小説を取り上げても、少なくとも一人は孤児がいます。モンゴメリがこのような厳しい境遇に主人公の身を置いたのは、なぜでしょうか。ことに、アンとモンゴメリの状況は似ており、アンはモンゴメリがモデルだという指摘もあります。しかし、孤児という点では、モンゴメリはアンとは明らかに異なります。

ここでは、モンゴメリの自叙伝『険しい道』に沿って、生い立ちを辿ることにします。

モンゴメリの先祖（曽々祖父）に当たるヒュー・モンゴメリはスコットランドからカナダの地へやってきました。妻のメアリ・マクシャノンはひどい船旅に悩み、プリンス・エドワード島に上陸すると、そこに留まることにしたのです。その二人の長男、ドナルド・モンゴメリ（曽祖父）は「美人」のナンシー・ペンマンにプロポーズし、男児をもうけました。それがルーシー・モード・モンゴメリ（混乱するので以後、幼少時代はモードと称す）の祖父にあたるドナルド・モンゴメリでした。この祖父は「威風堂々とした姿、きりりとした美男ぶり」で、上院議員を務め、アニー・マリーと結婚しました。この二人の長男がヒュー・ジョン・モンゴメリでモードの父となります。彼は妻、すなわちモードの母、マクニル家のクレアラ・ウールナ・マクニルと結婚します。

一方、モードの母方の曽祖父のウイリアム・マクニルは弁舌家で立法府議員にもなった傑物でした。彼はエリーザ・タウンゼントと結婚します。このエリーザの祖父はジェームズ・タウンゼントといい、その昔、ジョージ八世から島の統治権を与えられていました。ウイリアム・マクニルの娘のメアリ・ローソンはモードの大叔母にあたり、素晴らしい記憶力の持ち主だったと伝えられていますが、モードは彼女から聞いた多くの話を小説に活かしていました。

モードの養い親となった母方の祖父はアレグザンダー・マクニルで、その妻すなわちモードの祖母がルーシー・ウルナー・マクニルというわけです。

このようにモードの華麗な一族は、父方のモンゴメリ家も母方のマクニル家もプリンス・エドワード島の名門であり、それぞれの気質をモードも強く意識し、「モンゴメリ家の情熱的な血とマクニル家の清教徒の良心」の両方を受け継いだと日記に記しています。

ところで、モードは母を一歳九か月で亡くしています。その時の記憶を自叙伝『険しい道』では詳細に描いていました。

「お棺の中に眠る母の姿を、わたしは今もはっきり覚えています。……わたしは母の死顔を見おろしていました。何か月もの闘病生活で少しばかりやつれてはいましたが、美しい顔でした。……わたしは悲しみを感じませんでした。『死』が何を意味するのか、わたしにはわからなかったからです」

これほど鮮明に赤ん坊の時の記憶が残っているとは、にわかには信じがたいのですが、『赤毛のアン』では「あたしが生まれてから三か月たったときに熱病にかかって亡くなってしまったの。もう少し生きていて、せめて一度でも『お母さん』と呼んだ覚えがあったらと思うわ」と、アンは母の記憶を切なく語っています。

アンがモードよりもっと小さい赤ん坊のときに母を亡くしたことにしているのは、母の死が、遺されたモードにとって強烈な印象だったことを物語っています。

さらにアンは「お父さんも四日あとにやっぱり熱病で死んでしまったの。……」と付け加えていました。

モードの実の父親はすぐに亡くなったわけではありませんでしたが、幼児の彼女を母方の祖父母に預け、常に家を空けていました。モードは父を恋しく思う半面、そばにいない父を恨みがましくも思っていたのでしょう。後に『赤毛のアン』の中では、彼女はアンの父を即座に死に追いやったのです。

このように幼いモードは、すでに孤児同然の身の上であり、「両親がそろった健全な家庭」を喪失していたのでした。

「父の娘」

母の死後、モードはプリンス・エドワード島のキャヴェンディッシュにある古びたマクニル家の屋敷で、郵便局を営む厳格な祖父母に育てられ成長していきます。モードの当時の日記には、祖父母の家から小学校へ通い、親しい友達にも恵まれ、プリンス・エドワード島の自然の中で何不自由ない子ども時代を送っていたことがうかがわれます。

それでも、後にモンゴメリは文通相手のマクミラン[*13]宛てに一九〇五年一二月の手紙で祖父母のことを次のように語っていたのでした。

「わたしはひとりぼっちの子どもでした。……物質的な面では、祖父母はとてもよくしてくれました。そのことでは二人に心から感謝しています。でも、わたしに対する扱いの点では、どうかと思うところが多々ありました。……他の子どもたちの仲間にはいることも、また、青春期のはじめ頃には、他の若者たちとつき合うことも禁じられていました」

モードが一三歳のとき、父親のヒュー・ジョン・モンゴメリは西部のプリンス・アルバートに移り、メアリ・アン・マクリィと再婚します。

一八九〇年、一五歳の夏、父親から遊びに来るようにと誘われ、モードは大好きなモンゴメリ祖父と初めて汽車に乗って旅立ちます。途中、上院議員の祖父の特権でカナダ首相と同席が許され、興奮した得意げな様子などが日記には詳細に描かれていました。

しかし、父の再婚相手の印象は必ずしもよくありませんでした。

八月二三日の日記には「正直言って、お父さんの奥さんは好きになれそうもない。心から愛し、本当の母親と思うつもりでここに来たのに」「……短い滞在の間に、お父さんに対して彼女が全くいわれのない癇癪をおこし、不機嫌になるのをすでに何回か見た。彼女はひどい性格の持ち主のよう――無愛想で、嫉妬深く、陰険でそれに意地悪ときている。……」とかなり辛辣な描写が続きます。

モードはその後も日記にはひどい妻を持った父親への同情、後妻（日記ではM夫人と書かれている）への恨みつらみを書き連ねていましたが、翌年、父に跡継ぎが誕生しました。父を独占したいと強く思っていたモードは、父とM夫人の間に愛の結晶が生まれたことにおおいに動揺したのかもしれません。モードもその男の子をかわいがったのですが、M夫人からは召使い代わりに使われ、学校に行かせてもらえなかったことも多かったようです。そのこともM夫人への極端な反感につながっていたのでしょう。

モードは、学校では数人の男友達から想いを打ち明けられたり、一六歳にして担任のマスタド先生から毎晩のように口説かれ、大人への入り口を前にして多感な少女時代を過ごしていました。

モードはこの頃に憧れていた父親を異性として意識し出して、子ども時代と訣別したのではないでしょうか。

父親は、仲間から「モンティ」と呼ばれ親しまれていましたが、不動産業に手を出し、無謀にも政界進出を試みたりしました。モードが滞在中、父は宗旨替えをし、自由党（それまでは保守党だった）からプリンス・アルバートの地方選挙に立候補し、その挙げ句落選したのです。

モードは父からそれまでの半生を直に聞いて、一八九一年五月一四日の日記に記しています。

「父はいろいろな冒険をした。……あまり成功した人生ではない。今日ではお父さんは貧乏人。でもみんなから愛される人、私は心の底からお父さんを愛している」。

その父は『赤毛のアン』が出版される八年前の一九〇〇年一月一六日、肺炎で安らかな死を遂げました。その時、モードは二五歳になっていたのですが、「私の気持ちを言葉では表現できない！　何週間ものあいだ、私はただただ死にたかった。その知らせは、青天の霹靂《へきれき》であった……私には気の毒な老祖母以外は、誰もいない。それに父と私はたがいにいつもかけがえのない存在であった。父はとても善良で親切でやさしかった」と、父の死を嘆き悲しんでいます。

小倉千加子は、モンゴメリにとって、父は自分に代わって世界を冒険する英雄であり、彼女は「父の娘」[*14]だったと言及しています。生前の父はモードに強い影響を与えていたと思われますが、なぜか、後のモンゴメリの作品からは父親の姿は見られません。

パフスリーブと初潮

父に会いにカナダのプリンス・アルバートへ行く前の一八八九年の冬に、モードは一四歳で初潮を迎えていたと、小倉千加子はみていて、「子どもの季節は終わっていた」とまで、言い切っています。*15

しかし、私が調べた限りでは、その年の冬の日記にそのような記述は見つかりませんでした。ただ、一八九〇年一月二〇日、一五歳の日記に「モリィ〔女友達〕と私は、お互いのちょっとした個人的な出来事について本当にびっくりするような発見をした。その事は日記には書かないつもり。絶対の秘密だから。ネイト〔親しい男友達〕にはその発見が何であるか言わないできたが……」と思わせぶりなことが書かれています。その五日後の日記に、「とても気分が悪い！」ともありました。やはりこの頃に初めての生理に直面したと考えるのは早計でしょうか。

ところで、『赤毛のアン』にはアンが初潮を迎える表現はひとつも見つかりません。NHKで放映されたカナダのテレビドラマ「アンという名の少女」では、初潮を迎えたアンが生理の知識もなく、病気になったとうろたえる様子を描いています。アンが血のついた下着を泣きながら洗い、マリラは大人になったしるしだと丁寧に手当ての仕方を教えるシーンまでありました。母親を早くに亡くした女の子の孤児の混乱を、ドラマの制作者は意図して描いたのでしょうか。

この新しいテレビドラマではマシュウが、「女として一人前」になったアンに、パフスリーブの洋服をプレゼントします。マシュウは、シャイで内気な「女という女をいっさい恐れていた」人です。それなのに原作では、マシュウが他の女の子とアンがどこか違うことに突然気がついて、その原因がアンの飾り気のない洋服にあることに思い至ったということになっています。マシュウが女の子の洋服に関心があったとは到底考えられず、プレゼントをするきっかけとしては、何とも不自然ではないでしょうか。

さらに原作ではマシュウは、マリラに内緒で自ら街に出かけていき、ドレスを注文しようとして失敗したり、苦手なリンド夫人に頭を下げて、仕立てを頼んだりしているのです。その単なる動機や行動が、アンの憧れていたドレスをクリスマスにプレゼントするためだったというのでは説得力が弱いし、あのマシュウがそこまでするでしょうか。

テレビドラマのように、マシュウが贈り物をする伏線として、初潮を描くのなら納得がいきます。マシュウは、少女だったアンがここまで成長してきたという言い知れぬ感慨を抱いたことでしょう。そのため、アンが大人となったそのお祝いに、袖の膨らんだドレスをプレゼントしたのです。

このテレビドラマの生理をめぐる赤裸々なエピソードは、生理をタブー視する世の風潮に少なからず波風を立てたようです。

けれども、モンゴメリはアンの初潮について描くことを意識的に避けていたのかもしれません。もし書いていたとしても、村岡花子はそのままあからさまに翻訳したでしょうか（村岡花子は『赤毛のアン』シリーズの翻訳をところどころ省いていることが、これまでも指摘されています）。村岡が言う「若い女性たちの清らかさが生む憧れ」を永遠のものとみなし、身体的、生理的表現を排し、性的な要素に言及しようとはしなかったのです。

アンとギルバートの二人の清らかな関係は、いつかはおとなへの階段を進むにしても、思春期の性の目覚めさえ、描かれませんでした。『アンの夢の家』で二人はようやく結婚し結ばれるのです。


日本では今でこそコロナ禍の中で、「生理の貧困」が可視化され、社会問題となってきましたが、長い間、女性の生理をあらわに語ることは、はしたないことと考えられていました。女性は生理の時の痛みや、しんどさを訴えることさえ憚《はばか》られる時代が何年も続いてきたのですから。

テレビドラマの「アンという名の少女」は現代的な解釈や今日的な問題を臆せず取り上

げており、かなり原作とかけ離れた展開になっています。それだけに、「現代を生きる少女赤毛のアン」という視点で見れば、なかなか興味深い作品です。

原作者モンゴメリの意図を超えて、このような新しい解釈、脚色を可能としているのは、ある意味、原作の持つ力ともいえるでしょう。今なお、モンゴメリは読者に刺激を与え続けているのです。

教師の資格

さて、父の家で一年あまり過ごしたのち、モードは父親と別れることになり、プリンス・エドワード島のキャヴェンディッシュに戻りました。

一八九二年八月九日の日記では、モードは、「ここの学校に再び通い、……教員免許を目指して、勉強することが今日決まった。とても嬉しい」と綴っています。いつもひどく反対する祖父母が折れたのでした。

一八九三年六月三〇日、モードは州都シャーロットタウンに行き、プリンス・オブ・ウェールズ・カレッジの入学試験を受けました。二六四名の受験者のうち五番という優秀な成績でした。そこで二年の教員養成課程を一年で終わらせ、一八九四年、モードは二〇歳になる前にでビディファド村の小学校の教師として赴任したのです。
『赤毛のアン』では、アンはステイシー先生の影響か、教師は憧れの仕事でした。マリラは「クイーンに行って、先生の免状をとりたいと思わないかい?」とアンに尋ね、こう続けます。「お金のことは心配することはないんだよ。マシュウとあたしがあんたをひきとったときに、あたしたちでできる精いっぱいのことをしてやって、教育もりっぱにしてやらなくてはと決心したんだからね。女の子はその必要が起ころうと起こるまいと一人立ちができるようにしておいたほうがいいと、あたしは思うんだよ」と。あの頑ななマリラが意外にも理解を示し、アンが受験組に入ることを認め、将来経済的に自立する道まで考えていてくれたのです。モードの祖父母が教員になることを認めてくれたように、アンに高等教育を受けさせる道を拓いたのでした。期待に背かず、アンは一番の成績で好敵手ギルバートと共にクイーン学院に入学することになるのです。

プリンス・エドワード島では教育への関心が高く、一九世紀半ばには「無料学校法」により、ただで公教育を受けられるようになっていました。

『注釈版』の解説によると、一八五五年に設立されていた州の師範学校は、一八七九年にはプリンス・オブ・ウェールズ・カレッジと合併し、女性にも門戸が開かれるようになったそうです。これにより、女性が教育を受ける可能性が決定的に広がることになり、男子ばかりでなくすべての女子が教育を受けることが可能になりました。しかも高等学校の終了資格と師範学校の資格を組み合わせれば、女子は一六歳で教壇に立つことができたのです。

アンが大学に行くのを諦めて、カーモディの学校の教師になることを決意したときは、一六歳と半年になっていましたから、十分資格はあったことになります。

アンの女友達も、高等教育を受けることに野心的でした。「ルビーは卒業したら二年間だけ教えて、それから結婚するつもりなんですって。ジェーンは一生を教育にささげて、けっして、けっして結婚なんかしないと言うのよ。……ジョシーはただ教育を受けるだけの目的でカレッジへ行くと言ってるの」とアンは夢中でマリラに話します。この恵まれた少女たちの、高等教育に対する自由な考え方は、やはりプリンス・エドワード島の教育環境が整えられていたことを物語っています。

それればかりでなく、後にモンゴメリはある雑誌の「ふしだらな時代における少女たちについて」という取材に、次のように応えていました。
「少女たちも、今では、比較的自由に自らを表現できるということです。社会の圧力がなくなっているわけですよ。——それが、およそ、今日の少女たちと昔の少女たちとの違いのすべてです」と。こんな言い方で、モンゴメリは時代の社会的偏見から多くの女子を擁護していたのです。

とはいっても、アンの時代にも、同じ仕事に対して男と女では給料に差がありました。男三に対し女は二であったので、雇う側にとっては低賃金の女性教師は魅力的で、しかも結婚すれば辞めさせることができたのです。

一方、男性は教師の間にお金を稼ぎ、ギルバートのように医師をめざしたり、牧師になるためにと、さらに大学に進む者もいたようです。

『アンの青春』では、ギルバートがついに医者になろうと決心して、アンに語るシーンがあります。「素晴らしい仕事だと思うんだよ。男というものは、一生、なにかと闘っていかなくてはならないんだ……僕は病気と苦痛と無知に挑戦するんだ」。

アンとギルバートは、学校時代はジェンダーに縛られず切磋琢磨して育ってきたはずでした。それなのに、成長するにつれて、男性優位社会の中で、ジェンダー規範に絡みとられ、二人の将来にこのような差が生じていきます。負けず嫌いのアンは猛勉強をしてギルバートと成績を争った結果、クイーン学院の最後にレドモンド大学の奨学金をもらうことになり、ようやく、大学進学への道が開けるのです。

でも実は、アンはいくら成績が優秀でも、年を取り弱ってきたマシュウにとって、何の助けにもならないと悩んでいました。「もし、あたしが男の子だったら、今、とても役にたって、いろいろなことでマシュウ小父さんに楽させてあげられたのにね」。

するとマシュウは次のように言います。「そうさな、わしには一二人〔一ダースの意味〕の男の子よりもお前一人の方がいいよ」。

「いいかい？——一二人の男の子よりいいんだからね。そうさな、エイヴリーの奨学金をとったのは男の子じゃなくて、女の子ではなかったかな？　女の子だったじゃないか——わしの娘じゃないか——わしのじまんの娘じゃないか」。

このマシュウの優しい言葉に込められた励ましに、胸うたれた女の子たちも少なくないでしょう。これは、かつて男の子を欲しがったマシュウが、女の子であるアンという存在をそのまま受容した言葉でした。愛情深いマシュウはアンを養育する日々の中で、凝り固まったジェンダー意識から解き放たれたのでしょうか。マシュウは、このあとアンに安らぎと未来への希望を与えて、去っていくのです。あたかも遺言のようなこの言葉には、女の子が自己肯定感を抱けるようにという、モンゴメリの強い願いが込められているのだと思います。

ところで、このマシュウの死については、読者から「たいへん残念なことだ」とモンゴメリは言われたそうです。彼女は『険しい道』の中で次のように述懐しています。「マシュウは死ななくてはならないと作者のわたしは考えたのです。育ての親マシュウの死によって、アンは自己犠牲を強いられることになる。そういう必然性がなくてはならないと思ったのです」。

『赤毛のアン』で、マシュウの突然の死とマリラの眼病により、アンが一時大学を諦めざるを得なかったのは、作者の言う自己犠牲であり必然だったのです。こうしてアンは、ギルバートから譲られたアヴォンリーの学校の教職に就くことになります。

このように、モードの教育事情はそのまま、アンに反映されています。モードの日記によると、アンが教えた教室は、六歳から一三歳までの約二〇人の子どもたちがいたことになっていますが、それは実際モードが二〇歳で赴任したビディファド村の小学校と同じだったそうです。

さて、モードもアンもまずは教師の資格を得ることができました。ここから曲がりなりにも女性としての自立の道が開かれてきたのです（次からはモードと呼ばず、ふたたびモンゴメリと表します）。

大学へ——女子に開かれたもの

ところが、モンゴメリは教職に魅力を感じながらも一年で学校を辞めています。

菱田信彦によると、ノヴァ・スコシア州では女性は高校までの課程では一級の教員免許を取ることができませんでした。そこで女性たちは一定期間教職に就いてから、大学で学士の学位を取得する必要があったといいます。一八七九年以降は女子も大学に進学して高度な教育を受けることが可能となっていたのですが、ハリファックスのダルハウジー大学では、一八八一年に初めて女性の入学が認められたそうです。

そのためか、モンゴメリは、さらに上の大学教育を受けたいと願うようになっていました。彼女は一八九五年の秋、二〇歳でこのダルハウジー大学で文学の選択コースを取りたいという決意を固めています。『モンゴメリ日記　十九歳の決心』九月一五日では、祖父はモンゴメリの進学にまったく関心を示さず、「世間の人もちょっと馬鹿にしたように反対の態度を示す」と嘆いています。モンゴメリの祖母は意外にも反対しませんでした。彼女は「おばあちゃんは私が行くのに賛成。というのも私が行きたがっているから。しかし、私が行きたい理由をちょっとでも理解しているからではない。おばあちゃんはお金の面でも少し援助してくれる」と記しています。彼女が教師をしている間に一八〇ドルの給料から貯めた一〇〇ドルでは、寄宿代と授業料には足りなかったのです。

『赤毛のアン』では、マシュウ亡きあと、アンは目の病が悪化しているマリラを世話するため、レドモンド大学へ行くことを諦めていました。教員養成の高等学校に行くことは反対しなかったリンド夫人は、大学に女子が行くことには賛成していません。「そうそう、アン、あんたが大学に行くのを諦めたって聞きましたよ。よかったですよ。女が必要な教育はじゅうぶん受けたんですからね。男と一緒に大学なんかに行って、ラテン語やらギリシャ語やらわけのわからない知識を頭に詰め込むのはまったく感心しませんよ」。こんなふうに、当時は女子が大学へ行って文学士の学位を取ることは褒められることではなかったのです。この時のマリラは、「本当ならもっと意地を張って、あんたを大学に行かせなくてはならないんだろうけれど、――でもそれが今のわたしにはできないからね」と弱音を吐くばかりでした。

マリラのモデルはしばしば、モンゴメリの祖母のルーシー・マクニルとされています。『運命の紡ぎ車』では、この二人は気丈でさまざまな欠点があるものの、「厳しいけれども公正であり、義務感に支配されており、少々専横なところがあり、気むずかしくはないが社交的でもない」と共通点をあげていました。にもかかわらず、この場面では、マリラと祖母の対応が明らかに異なっているのは、作者モンゴメリが仕掛けた伏線のように思われます。

結局モンゴメリも、一年しか大学に行けませんでした。その間の一八九六年三月一四日の日記には「ハリファックス・ヘラルド紙」から「ダルハウジーの女子学生の体験」という記事を依頼されたことが記されています。その日記の註によると一八八一年以後ダルハウジー大学を卒業した二五人の若い女性の業績を振り返り、働く女性や主婦にとっての大学教育の目的と価値について上品に批評しているそうです。

『運命の紡ぎ車』によると、彼女はその年の四月には同紙に、女子の高等教育に対する差別への反発もこめて、次のような論文も寄せています（三月に書いた記事と同一のものかはわかりません）。

「今日では……少女であるという理由だけで《知識の殿堂》から締め出されることはもはやない。少女はあらゆる授業で自分の兄弟と張り合うことができるし、しかも、張り合って成功を収めているのだ……」。

とはいうものの、当時カナダでは大学に進学する女性は依然として少数派で、在学生の二三パーセントしかいなかったし、しかもそのうち二五パーセントしか卒業できなかったそうです。

ちなみに、こうした女子の大学無用論は日本でも昭和期にはまかり通っていました。女子学生亡国論*16が起こったのは一九六二（昭和三七）年頃であり、私が大学へ進学したのはその四年後でした。

『赤毛のアン』では、リンド夫人が夫の急死により、マリラと同居することになり、事態は急変し、アンに大学への道が開けます。モンゴメリは小説の中で自分の理想をアンに託したのかもしれません。『アンの愛情』では、アンはギルバートと一緒に希望通りに文学士の学位をとるために、キングスポートのレドモンド大学に四年間通うことになります。

一方、モンゴメリは聴講生として大学で一年間学んだのち一旦はプリンス・エドワード島に戻り、ベルモント村の小学校で教鞭をとりますが、次の年、ロウアー・ベディック村の小学校の教師として赴任しました。ここから、彼女は一人前の自立した女性教師としての人生を歩み始め、アンとは違う道を行くことになるのです。

揺れ動く情熱と理性

『モンゴメリの日記③　愛、その光と影』には一八九七年から一九〇〇年、彼女の二二歳から二六歳までの日録というよりは「記憶」が赤裸々に綴られています。

過去にも彼女に想いを打ち明けたり、結婚を申し込んだ男性は何人もいたのですが、モンゴメリはそういう危うい関係になりそうだと、ことごとく身を引いてしまいます。

そのうちの一人エド・シンプソンには、生理的嫌悪感を抱きながらも、彼にプロポーズされたとき、彼女は結婚を約束してしまったのでした。「彼を愛していないのはわかっていたが、愛せると思った」と日記に本心を打ち明けています。

そのあと思いがけない運命がモンゴメリを待ち受けていました。彼女は農夫で粗野な、それでいて魅力的なハーマン・リアードに「炎のように激しい恋」をしたのです。彼女は堰《せき》を切ったようにあふれる想いや悩みを日記に赤裸々に綴っています。

「私の全存在を支配し、炎のようにとりついている激しい、情熱的で理性に従わない愛──鎮《しず》めることも抑制することもできない愛──強烈さの点で、まったくの狂気に近いような愛でハーマン・リアードを愛している」。

「ハーマンがいない寂しさで、胸が張り裂けそう──彼を思い焦がれている──忘れようとしても、ハーマンのことを夜も昼も忘れることができない。前にもましてハーマンのことをいとしく思う。その顔をひと目見たくて……気が狂いそうになることがある」。

しかし一方で彼女は、「自尊心のためにも、恥ずかしげもなく他の男性と恋愛沙汰を起こすべきではない」と自分を責めていました。

そして情熱は去ったのです。身を切るような思いで、彼女は結論を出しました。

「私は、あらゆる必要不可欠な点で、私よりずっと劣った男と、熱狂的な数カ月ではなく、長い人生を身を落として結婚することはできなかった」と。

清教徒マクニル家の良識的で知的な血がモンゴメリ家の情熱的な血に勝ったのでしょうか。この日記からは翻訳した桂侑子が言うように「理性と感情の相克に苦しむモンゴメリの激しい心の葛藤が読み取れる」のです。

その後、モンゴメリはエドとの婚約を破棄し、ハーマンとも別れ、教職を諦めてプリンス・エドワード島のキャヴェンディッシュに戻ります。その頃モンゴメリは文学でいくらか成功していて、作家になるという大志を抱いていましたが、ハーマンはそれを嫌っているふうだったと、日記にはありました。

一八九八年三月にマクニル祖父が七八歳で亡くなり、今や祖母ひとりだけとなったため、祖母の世話をしながら、モンゴメリは郵便局を手伝う必要があったのです。

ところが一八九九年七月の新聞に載ったハーマンの死亡記事を知ります。「ほかならぬ、私の人生におけるもっとも痛ましい章の『結末』。それは永遠に終わり、最後のページがめくられる」とモンゴメリは嘆き、突然心痛とともに彼の死を実感したと記しています。

作家への道——エミリーの求めるもの

さかのぼって一八九一年一一月のモード一六歳の日記を見ると「将来、自分はペンで身を立てられるだろうか。スタベル教授は太鼓判を押したけど、単なる推測に過ぎない。どうにかしてもう少し教育を受けられたら！」とありました。この時すでに作家になりたいという意志を固め、作家への道を歩み始めていたようです。

それまでも、彼女は原稿料をもらえるという話を耳にしてから、詩や短編の作品を何編も投稿していました。

一八九三年、九月二八日の日記には短い詩を投稿し、その謝礼を受け取ったとき「これはほんの始まりで、私はこれからも書き続けるつもり。文筆でなにか価値のあることをすることができるだろうか。文筆で身を立てること、これが私の心からの望み」と夢を描いています。

『険しい道』によると、一八九五年、ダルハウジー大学で英文学の特別講義を受けていた頃、児童向け雑誌に投稿していた短編が掲載されました。「原稿を受け取った」という内容の手紙に五ドルの小切手が同封されていたのです。モンゴメリは若い女性が欲しがるブーツや手袋も買わず、「わたしのペンが稼ぎ出した最初のお金！……わたしはその五ドルを手にして町にでかけ、五冊の詩集を買ったのでした。……目的地に到達したという記念に、いつまでも手元に置いておくことができるものが、わたしはほしかったのです」といじらしくも綴っていました。

ところが、一八九六年の『モンゴメリの日記』七月八日には、投稿作品の謝礼を受け取るモンゴメリをうらやましがって「運がいいわね」などと言う人びとに対し、「そうした言葉を聞くと、私は冷笑する。一つの成功のためにどれくらいの失望を味わうか皆はわかっていない。皆は成功だけを見て、何の苦労もないと錯覚している」と辛らつに記していました。

続いて懸賞論文に「男性と女性のどちらが忍耐強いか」というタイトルで応募して、彼女はやはり五ドルを獲得しています（残念ながら、モンゴメリが女性のほうが忍耐強いと論じたかどうかは明らかではありません）。

モンゴメリは、一九〇一年の秋から、一九〇二年六月までの約一年間、ハリファックスの新聞社で校正兼記者生活に身を投じていました。彼女自身「わたしは女性新聞記者なのだ……素晴らしいわ！」と意気に燃えていましたが、自分が書きたいものを書く時間がないのを嘆いてもいたようです。「人に邪魔されない孤独が必要だ。だからわたしは独りでいるべきだし、仕事をする部屋は静かでなければならない」と『険しい道』で振り返っています。当時はペン一本で生活ができるくらいの収入が得られていたようですが、その頃の日記には「『金目当て』に書いた作品は大嫌い。でもほんとうにいいものを書くときはとても楽しい」と、何とか長編小説を書こうという「野望」を抱いていたのでした。

そうして一九〇四年の春にモンゴメリは『赤毛のアン』を書き始めましたが、出来上がった原稿はいったん古い帽子箱に納められ、陽の目を見るまでにはさらに四年を待たなければなりませんでした。けれども、出版されるや否や予想を超える反響を呼び、たちまち大ベストセラーになり、彼女は一躍人気作家に名を連ねることとなります。出版社から届いた本を手にした時の喜びを彼女は率直に告白していました。

「それはわたしにとって、誇らしい、素晴らしい、ぞくぞくするような一瞬であったと。物心ついてから今日までのすべての夢、希望、野心、そして闘いが、今ものという形に具体化され現実化されて、わたしの手の中にあるのだ――」。

後に文学仲間の文通相手マクミランへ送った一九〇九年の手紙では「『アン』はわたし

自身の文体で書きました。彼女が受け入れられた秘密は、それだと思います」とアンの創作上の「秘密」を明かしていました。

しかし、誰しも作家への険しい道を一気に順調に歩んでいくわけではありません。モンゴメリは以後、出版社からの要求や読者の期待に応えるため、アンシリーズを何冊も書かなくてはならなくなります。

一九一三年のマクミランへの手紙ではアンの本に取りかかるために、頭のネジを巻いていると言い、「この本を書くのは出版社と読者を満足させるためで、わたし自身が満足するためではありません。これに取りかかるのはとても気が重いのです。『アン』の世界に戻るのは、とても難しい気がします」と正直に語っていました。翌年の書簡でもアンシリーズの新作に取りかかっていながら、「この作品が面白くてたまらないと思ったことは一度もありません」と白状しています。

折しも一九一四年、第一次世界大戦が起こり、モンゴメリとしては「さまざまな国民が死闘に明け暮れているというのに、……女生徒たちのために、女生徒たちのささいなふるまい」について書くのは気が進まなかったようです。「女生徒たちときたら、その後、アンとギルバートに何が起こったのか、どうしても知りたいといってきかないのです」と、クリスマスまでに始末をつけたいと思っていることを、マクミランに率直に打ち明けています。とはいえ、アンのシリーズの執筆はその後も一九二〇年八月まで続き、マクミラン宛ての手紙では「アンシリーズともきれいさっぱりお別れです」とまで断言しているのでした。この時彼女が最後と思って書いたのが、戦時下のカナダの一少女を描いた『アンの娘リラ』でした。

一九二三年、次に出版されたのが『可愛いエミリー』でした。アン以外の新しいタイプのヒロインの登場です。モンゴメリ評伝『運命の紡ぎ車』を書いたモリー・ギレンによれば、「アンはわたしのことだと言った人たちはまったく間違っていました。でも、わたしとエミリーを同一人であると書くのであれば、その人たちはいくつかの点では当たっています」とモンゴメリの言葉を用いています。続く『エミリーはのぼる』でも、実は村岡花子も、その解説で「エミリーはルーシイ・モンゴメリの心臓の鼓動を伝えているように感じられる」とまで言いきっています。モンゴメリがエミリーに自身を投影させていたことは紛れもないことなのでしょう。

『運命の紡ぎ車』では、次のように指摘しています。「アンとエミリーには、実際、多くの類似点がある。二人とも孤児であり、生意気で愛嬌のある、とても口達者な子どもで、自分の個性を強く自覚している。また、想像力が非常に豊かで、気性が激しい」。

孤児のエミリーは、旧弊《きゅうへい》たるしきたりや生き方を守ろうとするマレー家やプリースト家など親類一族の中で二人の伯母に引き取られます。ここでも夫婦がいて子どもがいるという通常の家族形態とは異なり、老姉妹の家で孤児が育てられるという設定です。その窒息しそうな日々の中でも、エミリーは自分自身を貫き、愛情を抱く存在に巡りあうのです。

エミリーシリーズは、『エミリーの求めるもの』で完結していますが、残念なことに、この三部作の訳を終えて、村岡花子は帰らぬ人となりました。

後に『エミリーはのぼる』を書いていた頃、モンゴメリはマクミラン宛てに次のように不満を漏らしています。「一般の人々にせよ出版社にせよ、わたしが少女をありのままに描くことは許してくれないでしょうから。……でも、《若い未婚女性》のことを書くということになると、かわいいけれども、おもしろ味のない少女……人生のイロハも、それに対応する姿勢も全然知らない娘を描かねばならないのです。恋愛はほのめかす程度であっても望ましくないのです――」。

詩人になることをすでに諦め、小説家になろうと決心したエミリーは、ひたすら書いては投稿します。そのたゆまない創作への熱意、努力はやはり、モンゴメリの姿を彷彿させます。

最後の『エミリーの求めるもの』では、当時の適齢期を迎えた女性の微妙な心模様を描き、エミリーとテディが紆余曲折を経て結婚を誓うところで終わるのですが、その先の結婚して妻になったエミリーをモンゴメリは描きませんでした。

エミリーは果たして何を求めたのでしょうか。作家になる夢を諦め、結婚することが、人生の究極の目的だったとは思えません。その先、エミリーはモンゴメリのように、結婚しても書き続け、作家としての道を歩むのでしょうか。

ただ、この作品中、エミリーが〝仕事〟と言うときに、テディが「そうそう、きみの仕事がね」と答える調子には、「……甘やかしたような、ばかにしたようなものがあった。こんかわいらしい子どもは機嫌をとらなければならない」という微妙な描写があります。こんな調子では、テディが結婚後、エミリーの文筆の仕事を認めるとは到底思えません。

また、かつての恋人で分別のあるディーンさえも「きみはその眼で――ペンなどを持ってするより遥かに大きなことができる」と言い、エミリーを苦しめていたのです。

本気で作家を志す娘に対する、世の男性のこのお節介な差別的発言を、モンゴメリは自身の体験から描いたのかもしれません。

一方アンといえば、とうに作家になる夢を放棄しているかのようです。『アンの夢の家』で、アンはポール少年の文学的才能をほめてこう言います。

「あたしには自分の限界がわかっているの。あたしには詩はつくれるのよ。それから子どもたちが愛して読んでくれて、編集者が喜んで原稿料の小切手を送ってくれる程度の、ちょっとした空想的な短編は書けるわ。でも大きなことはできないの」。

ここに登場してくる重要人物のジム船長も「アンものを書くことは知っていたが、その事実を本気で心にとめたことはなかった」し、「女にものが書けるとは信じなかった」と言うのです。もの書きの女性に向けられる世間の冷ややかな目は、モンゴメリが身に沁《し》みて感じたことだったのでしょう。

さらに『炉辺荘のアン』では「奥さんは書き物をしなさるんでしょう?」と聞かれて「ときたま小さな物語を書くことは書きますわ。でも忙しい母親の身ですからあまり書いている暇がありませんの。もとは素晴らしい夢を描いたこともありますけれど……」と、アンは自嘲気味につつましく答えていました。モンゴメリは、悲しいことにアンをここまで後退させてしまったのです。アンの言葉はモンゴメリ自身の自己弁護のようにもとれます。これ以前、モンゴメリ自身は四三歳で子育てに翻弄されていましたが、その最中に、出版社と裁判まで起こしていました。この『炉辺荘のアン』を書き始めた時、モンゴメリは六四歳で、相当心神耗弱《しんしんこうじゃく》していたようです。一九三九年三月二四日のマクミランへの手紙では、「ヒットラーがふたたび攻撃に出ました。彼の動きは阻止しなければなりません」と世界情勢をひどく憂慮していました。

モンゴメリは、アンやエミリーの作家になるという夢を実現させず、主婦に甘んじさせました。この二人の挫折と変容は彼女自身、作家としての限界を感じた諦めでもあったのでしょうか。実際モンゴメリは徐々に自分の文学的才能に自信を失くし悩んでいたという批評家もいました。息子のスチュアートまでもが「母はだれよりも先に、自分の作品が偉大なものではないことを認めていました」と、明かしているのです。その頃の文壇は次第に犯罪や貧困など現実的なテーマを取りあげ、簡潔な文章が好まれるようになってきていました。モンゴメリの生き生きとした自然描写や身近な周辺の小さな出来事などをこと細かに描いた作品は、センチメンタルだと厭《あ》きられてきたのだそうです。

結婚という「夢」の呪縛

当時のジェンダー規範を考えると、結婚こそが女性の人生における限られた選択であって、女性たち自身も結婚に夢を抱いていたと想像されます。

アンとギルバートは、少女読者たちが望んだように結婚し、幸せな結婚生活を送りますが、モンゴメリはそれで幸せというようには、終わらせませんでした。『アンの夢の家』では「ギルバートにとって、アンが花嫁という優しい降伏の形をとって到来するように思われた」とあります。学生時代のよきライバルだったアンは、ギルバートと結婚するや否や、「ぼくの家内」となり、アンは世間からは「お医者の奥さん」と呼ばれる存在であり、献身的に医師ギルバートを支えるのです。ここには、野心的で自立をめざした少女アンの姿はなく、期待されるジェンダーの女性役割から一歩も出ていません。

図らずもこのアンの変容は、モンゴメリ自身の結婚式の時の不安定な気持ちを投影しているようです。

結婚式に伴う彼女の複雑な感情を、松本侑子は『誰も知らない「赤毛のアン」』で、未刊のモンゴメリの日記を翻訳して、次のように紹介しています。

「式は数分で終わり、その直後から、わたしは『マクドナルド夫人』と呼ばれた。名字が変わったことには、抵抗を感じた。父親からゆずり受け、人生をともにし、そして成功をかち取ってきた愛着のある名字を失うことに、寂しさを感じた」。

それ故彼女はモンゴメリをペンネームにしたのでしょうか。そして彼女は恐ろしいような絶望に襲われたというのです。日本の女性は未だに選択的夫婦別姓が認められず、「その寂しさ」を抱えているのですが。

女性は結婚しか選択肢がないような時代に、アンの「腹心の友」ダイアナは何の疑問も持たず、その道を選ぼうとします。もともとダイアナの家は良い家柄で裕福であったため、良縁に恵まれて若いうちに結婚するのが当然の成り行きでした。経済的にも自立しなくてよい環境にいるので、高校受験組にも入らなかったのです。以前アンは「ダイアナとあたしは、一生結婚しないで、いつまでもいっしょに暮らそうって、約束しようか、と今そのことを真剣に考えているところなのよ。ダイアナはまだはっきり決心がつかないの」と言っていましたが、この頃から、アンとダイアナには微妙な亀裂が生じていったようです。

一方、『若草物語』のジョーは、作家としての自立をめざして結婚しないと言い切りましたが、モンゴメリはオールド・ミスについては複雑な想いを抱いていたようです。『エミリーの求めるもの』ではエミリーは、「わたしは立派に一人暮しをとおすのだということを骨の髄から感じているのよ。それはオールド・ミスでいなけりゃならないような運命になるのとはまったくちがっているのよ」と言い訳しています。親友のイルゼがエミリーの以前好きだったテディと結婚すると知って、エミリーは自分がオールド・ミスになりそうな状況を自嘲気味に言ったのでした。自立した女性としてあえて結婚をしない女性と、結婚できなくてオールド・ミスになることとは違うのだと区別したこのこだわり。モンゴメリ自身、ユーアンとの婚約のおかげで「将来一文無しのオールド・ミスになるかもしれないという恐怖から逃れることができた」と言うのですから。

モンゴメリは、大人向けの作品として、『青い城』『もつれた蜘蛛の巣』なども書いていて、これらは昨今フェミニストの間で注目を集め始めています。とくに『青い城』の主役、オールド・ミスのヴァランシーが、一族から受ける屈辱的な抑圧から、ついに逃れて自ら家を出るというストーリーが、新しい女性の自立を描いたと評価されているのです。ただ、この作品も、結局、結婚に帰結することに変わりはありません。『運命の紡ぎ車』の作者モリー・ギレンは、モンゴメリは「初期の女性解放論者の一人」とみなされているにもかかわらず「彼女はなおも、ビクトリア朝風の模範的な妻・母になることが女性にとって最も重要な役割であると考え」ていると批判しています。「大多数の女性は家庭にあってこそ最も幸福であり、また、最良の仕事ができるのです。それは、大多数の男性が実社会にあってそうであるのとまったく同様です」とジェンダー規範に迎合するような意見までモンゴメリは述べています。

　だが続いて「でも、どちらにとっても例外はあります。社会的な仕事をするように生まれついた女性もいますし、レストランで料理をするように生まれついた男性もいます。……わたしには、この問題に性別はほとんど関係ないように思われます。――」と、ジェンダーの性を超越したような見解を述べ、先の意見を翻しています。ここでも彼女特有のあいまいな表現に惑わされてしまいそうです。

　モンゴメリ自身は作家としての地位を築きつつありながら、ルイザ・メイ・オルコットのように、独身を貫き職業作家として生きる道を選ばず、世間並みに結婚という選択をしました。一九一一年三月に祖母が八七歳で亡くなったため、その数か月後、ユーアン・マクドナルド牧師と結婚します。この時モンゴメリは三七歳、長身で美貌のユーアンは四歳年上だったといいます。実は一九〇六年に彼女は彼と婚約をしていたのですが、世間には婚約を五年間も秘密にしていました。祖父亡きあと祖母を一人にしておけないと、結婚を延ばしていたのです。

ユーアンはダルハウジー大学で学位を取っているにもかかわらず「まったく教養がない」とモンゴメリは見ていましたが、「結婚相手としての釣り合いは申し分なく、社会的体面も整うし、安定が得られそうに思われた」のです。冷静に相手を見定め、適齢期を過ぎていても自身の安売りはするまいと思っていたに違いありません。モンゴメリの現実的な冷めた結婚観は次の言葉からも明らかでした。『運命の紡ぎ車』によると、「結局のところ、この世は実際的な世界なのですから、結婚生活にしてもその実際的なところを共にしなければならないのです。ふたりにお互いを愛する気持ちがあって、お互い退屈にならず、年令や社会的地位の点でまあまあうまくつり合っていれば、ふたりが共にしあわせになる見込みはたっぷりあると思います……」。

そして家庭という場は、妻が夫に忍従する構図を持つことを知りながら、受け入れていたのでしょう。おそらく変則的な家庭に育ったモンゴメリは、人一倍温かな「普通の家庭」に憧れたのかもしれません。

モンゴメリは、読者や出版社の要望に応えるかのように、ロマンスの帰結として結婚というゴールにこだわります。『炉辺荘のアン』では、アンは周囲の恋人たちを結ばせたり、縁談に情熱をそそぎ、結婚仲介を始めようかと真剣に考えて、ギルバートを驚かせたりしています。そこには、あの溌溂とした男勝りの少女アンの面影はありません。

財産相続からはずされていた女性

『運命の紡ぎ車』によると、さかのぼること一八九八年、祖父マクニルが、まもなく七八歳という年齢で亡くなりました。その時モンゴメリは「男の子ではない」というだけの理由で祖父の遺言からはずされていました。叔父のジョン・マクニルはその隣の土地に住んでいて、この遺言のために自分の地所の他、父親の農場も管理することになったのです。

そこで、モンゴメリは小学校の教師を辞め、今や一人となった祖母が住むキャヴェンディッシュに戻り、高齢の祖母の世話をすることになりました。郵便局の仕事をするかたわら、彼女はせっせと原稿を書いては出版社に送りつけ、細々と生計を立てていたのでした。

マクニル祖父の死から一三年後の一九一一年、祖母も亡くなります。この時にモンゴメリはいよいよ家を出て行くことになりました。というのも、祖父は妻であるマクニル夫人が生きている間は家を使用してよいという条件尽きで、財産を息子のジョンに残したので、祖母の亡きあとはモンゴメリはその家にいられなくなったのです。当時、女は財産を相続することはできなかったので、祖父が亡くなった時にも思い知らされたように、彼女には何一つ残されませんでした。モンゴメリはあれほど愛していた家屋敷はもちろん、自分が何も遺産をもらえなかったことを腹立たしく思い、「祖父のたいそう愚かな遺言」と憤っていたそうです。*17

その頃すでに人気作家となっていたモンゴメリは、小さな農場や家を買うこともできたかもしれませんが、プリンス・エドワード島で生活するための家は、父祖から譲り受けたものでなければならないという思いが強かったようです。後になっても、彼女はプリンス・エドワード島では他の家を買おうとはしませんでした。

『赤毛のアン』では、マリラはアンにグリーン・ゲイブルスの家を残すつもりでいることまで話していました。そして「当てにならない世の中だから、人間はいつどんなことがあるか、わかったもんじゃないからね」と忠告していました。年老いた自分たちの亡きあとの心配もあったのでしょう。マリラはそこまで考えてアンに教師の資格を取らせ、経済的にも自立する道を援助したと考えられます。

ところが、マシュウが亡くなったあと、マリラは気弱になって家を売ろうとしますが、アンはそれを押しとどめて、グリーン・ゲイブルスの家を守ろうと決心するのです。家を守ることは、父親すなわち男性の家長としての務めでしたから、モンゴメリは、アンに家長として生きることを託したのでしょう。

モンゴメリは家に対する愛着が人一倍強かったため、女性であってもアンのように家を守り維持していくことを強く望んだと考えられます。このように代々の家を守る女性を登場させたことは、家父長制に対する抵抗の証しとして、女性の権利を主張したのかもしれません。

モンゴメリ自身は、祖母の死後、古びた郵便局の家を取り壊し、パーク・コナーに一時移り住むことになります。そして何年も待ち続けたユーアン牧師と七月五日に結婚し、二日後に、数か月に及ぶ新婚旅行に旅立ちます。新婚旅行は祖先の人びとが生活した母国イギリスとスコットランドを訪れることが目的でしたが、文通相手のマクミランと会うことも計画の一つでした。この旅行記はモンゴメリの自叙伝『険しい道』に日記から転記された記事が載っていますが、「できれば一人で旅をしたい」と吐露し、夫ユーアンとの仲睦まじい記述はほとんど見られません。

外向きの顔と内なる心

帰国後、一九一一年ユーアン牧師はオンタリオ州リースクディールの牧師として赴任しますが、「自らの任務を申し分なく全うし、簡潔にして実際的な説教をし……陽気で親切だった」と、『運命の紡ぎ車』では意外な一面を紹介しています。

モンゴメリは一年後、男の子の母となり、続いて四〇歳で次男を出産しましたが、その子はわずか一日で亡くなってしまいます。この時の悲しみは烈しいもので、『アンの夢の家』でアンが初めて授かった女の子が死産だったというエピソードに色濃く投影されています。けれども、その翌年、三男スチュアートを授かり、モンゴメリは母として、二人の元気な男の子の世話に明け暮れました。

モンゴメリはまさに良妻賢母として家事・育児と執筆活動に追われるほか、牧師の妻としての役目も担っていました。教会の仕事に加え、カナダ婦人記者クラブや病院訪問、教会婦人会での講演などを精力的にこなし、実際寝る間もないほどであったようです。リースクディールで一五年間、トロント真西のノーヴァルで九年間、モンゴメリは牧師館に住み、自ら牧師の妻としてふさわしいと思う役割を細心の注意を払って果たしていたのです。

実は夫ユーアンは、結婚前後から精神の変調をきたし、長らく不眠に悩んでいます。彼女の作家としての名声や経済力に、ユーアンが嫉妬していたという指摘も、さもありなんと思われます。

『運命の紡ぎ車』の著者モリー・ギレンは、モンゴメリが「本心を押し隠し――感じていることや思っていることをまったく表には出さない――外向きの顔を装う能力を、すぐさま身に付けていた」と見抜いていました。

彼女のこの二面性は『赤毛のアン』で、アンが、「それ〔ガラス〕にうつる自分の姿を、ガラス戸の向こうに住んでいるほかの女の子だということを想像してケティ・モーリスという名をつけて、とても仲よくしていたの……ケティには何でも話したの」とマリラに思い出を語っている場面を想起させます。『注釈版』によると、モンゴメリ自身もこう綴っているそうです。「アンの〝ケィティー・モリス〟は、もとはわたしの友達だった。……とても小さかったころ、この〔食器ケースの〕ガラスに映った自分自身の姿は、〝本当の人〟なんだとわたしは想像した。左側のドアの人物がケィティー・モリスだった……わたしみたいにちっちゃな女の子で、わたしはこの子がとても好きだった」と。不思議なことにガラスの向こうの女の子が本当の自分である、と幼い頃から彼女は想像していて、本心を打ち明けていたのでした。

また『運命の紡ぎ車』によると、モンゴメリ自身も一九〇五年、もう一人の文通相手ウィーバー[*18]に宛てた手紙でこう書いています。「わたしには二つのはっきりと異なった面があります。森に出かけるときには、夢見がちで孤独な面が真っ先に出てきます。……でも、人びとと交わるときには、まったく別の面に支配されてしまいます」。

モンゴメリは、牧師の妻として体裁を繕う自分は光の中にあって外向きの顔となり、本来の自分は心にはかり知れない闇を抱えているのです。でもその実像は決して他人に見せてはならず、外向きの仮面をかぶって、用心深く隠蔽します。モンゴメリはおそらく不機嫌になり精神の安定を欠く夫に対し、その真実の顔は見せず、自分の心の奥深くに隠していたに違いありません。従弟のケン・マクニルが言うように、彼女は、強い意思で、「世間体を繕い、また繕い続けることができた」人だったのです。

内面と外面の二面性は誰しも少なからず持っているでしょうが、モンゴメリは生涯を通してその二面性を抱えて葛藤していたように思われます。

モンゴメリの作品にしばしば現れるジェンダー観のあいまいさも、ジェンダー規範に合わせようとする外向きの顔と、それに反発する内向きの顔とのせめぎ合いの結果といえないでしょうか。光と闇の間で彼女は常に闘っていたのだと思います。

婦人参政権をめぐる政治意識

一九一〇年に、彼女はボストンに招かれ、著名人との会食を楽しんでいました。エマソン、ホーソン、ソロー、オルコット父娘が遺した家を訪ねたり、雑誌のインタビューを受けたりしています。この時のモンゴメリの印象を、彼女は「まぎれもなく保守的であり……婦人参政権には反対で、家庭を大切にする婦人の価値を認めている」と記者は紹介しています。

『運命の紡ぎ車』によれば、モンゴメリは婦人の自主的な選択権とか、自ら意志を表明する権利については意見をもっていたのです。彼女は「婦人参政権という問題に関するわたしの関心はごく薄いものです」と述べたあとで、またもやかなり矛盾したことを答えています。「でも、私有財産を持つ女性は、法律の制定に際して投票権を持つべきだと思います」と主張したのです。

村岡花子は「モンゴメリは男女平等ではなく、女性優越論者であった」と弁護していました。『果樹園のセレナーデ』の「ルウシイ・モンゴメリおぼえがき」においても、「第二次世界大戦中に死んだ英国の女流作家ヴァージニア・ウルフ*19と同じように、ルウシイは婦人には社会に対して特別の使命があり、それは女性でなくては果たせない役割だと信じていた。だから、何事でも男性を標準にして女性の進歩を決めようとするあるフェミニストたちの考えかたに賛成しなかった」と村岡花子は述べています。モンゴメリの当時のフェミニズムには相容れない見解を代弁したのでしょう。

モンゴメリの祖父モンゴメリが上院議員であり、曽祖父のマクニルが立法府議員であったことや、父親も選挙に立候補したことなどを考えると、モンゴメリが政治に並々ならぬ関心を抱いていたことも納得がいきます。

『赤毛のアン』の中では、しばしば政治的な議論が交わされているのですが、リンド夫人はもちろん、マリラも「内心、政治に興味をもって」いて、カナダの首相がプリンス・エドワード島を訪れ、盛大な政治集会が開かれた時、二人はこぞって出かけたくらいでした。

「リンドの小母さんがオタワの今のやり方じゃあ、カナダはほろびてしまうから、選挙権のある人たちはよっぽど考えなくちゃあって、言ってなさるわ。もし、婦人に参政権があったら、すっかり変わっているんだがって言いなさるのよ……」とアンは言い、マシュウに支持政党を聞くと、マシュウは「保守党さ」とてきぱき答えています。「それなら、あたしも保守党だわ」とアンも同意しましたが、ギルバートは父親に倣《なら》い与党の自由党支持だったのです。そこでアンは「政治ではお父さんとおなじにしなくてはならないんですって。ほんとうでしょうか?」とも聞いています。

『注釈版』によると、この時期のカナダでは女性には投票権がありませんでした。第一次世界大戦が一九一四年に始まると、この大戦中に、カナダでは三段階を経て、女性(婦人)参政権が実現しました。すなわち一九一七年八月の「軍隊内投票者法」で、カナダ軍に所属する兵士全員に投票権が与えられ、必然的に女性兵士も投票が認められました。『注釈版』では、一九一七年のモンゴメリの日記に「オンタリオの政府が女性にも投票権を与えた。わたしも死ぬまでに投票できるかもしれない。……ともかく、うれしいことだ」と感想を述べているとあります。

続いてさらに一か月後「戦時選挙法」により、カナダ軍兵士の妻、娘、姉妹など女性家族に投票権が認められ、カナダ生まれの女性たちには選挙権も与えられたのです。一九一八年「女性参政権法」によって連邦レベルでの女性参政権が実現したのは、従軍した男たちに代わり銃後を守った女たちの働きが評価されたといわれています。[*20] その後カナダ連邦議会における女性参政権が確立したのは一九二〇年でした。

しかし、プリンス・エドワード島の女性が投票する権利と立候補する権利を得たのは少し遅れて一九二一年でした。
その頃の世情を一九一七年に出版された『アンの夢の家』では次のように描写していま す。「コーネリアさん、婦人参政権に賛成でしょうね」とギルバートが言うと、「選挙権なんか望んじゃおりませんよ。ほんとうに」とミス・コーネリアは軽蔑を示したのです。「……けれどそのうちにいずれ、男たちが自分たちでどうすることもできないほど世界を混乱状態にしてしまったことを悟ったら、喜んでわたしらに選挙権をあたえ、自分たちの難儀をわたしらに肩がわりさせるでしょうよ。それが男たちの企てですよ。ああ、女というものは忍耐づよいものですね」と続きます。次のような描写もあります。「プリンス・エドワード島もカナダ全体と同様、総選挙を前にして選挙運動の陣痛に苦しんでいた。熱烈な保守党支持者であるギルバートはいつのまにかその渦に巻きこまれ、さまざまな州大会での演説に引っ張り凧だった」。（ギルバートは、以前は自由党支持でした）
また、ジム船長は「女というものは愉快な生き物であり、選挙権でも、その他のものでもなんでもほしがるものはあてがってやるべきだと考えていた……」というのです。
『アンの娘リラ』でも、使用人のスーザンが戦時の国債の寄付を集めるために演説する場面で「わたしは婦人参政権論者ではない」とわざわざ断りを入れながら、「あの晩、スーザンは女性の正しい価値を認識させ、文字通り、男たちを縮み上がらせた」というような表現をしています。こうした政治をめぐる興味深い会話も、モンゴメリは「少女小説」に書き込んでいたのです。

モンゴメリは村岡花子が指摘したように、女性の権利獲得や地位向上を正面から主張するのでなく、女性と男性の特質などに論点を微妙にずらしているように思えます。この婦人参政権運動に対しても確固たる態度を示していないのは、フェミニストから見たら歯がゆかったことでしょう。

『運命の紡ぎ車』によると、後年、ある晩餐会で作家仲間でもあり、婦人参政権の熱心な支持者でもあるネリー・マクラング[*21]に会い、モンゴメリは彼女に少なからず好感を抱いていたようです。「演壇に立つといやにきざで、明敏さに欠けるという制限付き」ではありましたが。

また『モンゴメリ書簡集』の一九二二年九月二四日の手紙の中では、勤労婦人倶楽部の午餐会で、婦人参政権論者として有名なかの恐るべきパンクハースト夫人[*22]に会った際、「愛嬌のある疲れ切った、品のいい表情」しか目に入らなかったのでしたが、「あの畏敬すべきエミリーンを目の当たりにしたわけです。わたしの見た限りでは、ロンドンの家々の窓を粉砕し、ハンガーストライキをしてホロウェイ刑務所[*23]に強制収容された人という面影は見当たりませんでした」と印象を綴っています。さらにモンゴメリは、自分自身の身に引き寄せて彼女の印象を評しています。「……まるである田舎村の長老派協会の長老夫人で、土地の援助婦人会の指揮をし、夫に耐え忍ぶこと以上に骨の折れることは何もないという感じの女性に見えました」と。

モンゴメリは婦人参政権獲得に共感はしても、そのための過激な運動には距離を置いていました。それは体面を重んじる牧師の妻としての限界でもあったのでしょう。

アンの娘リラ

しかし、第一次世界大戦[*24]はモンゴメリに婦人参政権以上の影響を与えます。

一九一四年、オーストリアの皇太子夫妻がサラエボを訪れた際、暗殺された事件に端を発して戦争が勃発しました。

『アンの娘リラ』は、新聞に載ったその第一報から物語が始まっています。その頃リラ・

ブライスはまだ一四歳で、ボーイフレンドと行く初めてのパーティに何を着ていくか頭を悩ませるかわいらしい少女でした。その胸がときめくようなパーティの夜にイギリスがドイツに対し宣戦を布告したのです。男の子たちは興奮のあまり「僕らは大英帝国の一部だから」といきまくのですが、リラは叫びます。「英国の戦争になぜあたしたちが戦わなくてはならないのかわからないわ」。

しかし、カナダはイギリス連邦の自治領であったため、その一員としておよそ六二万人が参戦しました。そのうち六万人が戦死しているのです。

『アンの娘リラ』では、刻々と変わり緊張を増していく戦況を克明に描き続けます。男たちは次々と出征していき、母親のアンも血気にはやり兵役を志願する息子ジェムを止めることはできません。リラは恋人を送り、兵役を拒否していた詩人で心優しい兄ウォルターも徴兵されていくのを悲しむしかすべがないのです。銃後を守るため、リラは戦争で孤児となった赤ん坊を引き取って世話をします。このことは『注釈版』によると、当時は世間の人が「戦争孤児の世話をしなければならない」ということを指し示しているそうです。そしてリラは赤十字少女団を結成すると、その運営に熱心に携わり、恋人の無事を祈りつつ、ひたすら戦争の終結を願うのでした。

モンゴメリは一九一四年一〇月一六日のマクミラン宛ての手紙の中で次のように書いていました。「あたかも雷雲か何かのように、あっという間に戦争が世界中を覆ってしまうかと思われました。何が起こったのか気づかないうちに、ヨーロッパが端から端まで炎に包まれてしまったのですもの。そうよ、決して、決して、ドイツは勝てませんとも！」。実際、モンゴメリは戦争が始まって以来、幾夜も眠れず、食事ものどを通らなかったのです。

ところで『赤毛のアン』には「愛国心」という言葉が出てきます。ステイシー先生が音楽会を計画し、その収益で校旗を作ろうということになったとき、アンはマリラに「旗は愛国心を養うものよ」と説明するのです。「あんたがたのだれ一人、愛国心なんて頭においているものがいるものかね」とマリラは皮肉に言い返すのですが、このときの愛国心はいかにも唐突な感じがし、それほど切羽詰まったものではありませんでした。

一方『アンの娘リラ』では「愛国心」は人びとの心の拠りどころであり、より身に迫った表現として用いられています。国内の愛国的気分は戦争が不利な状況になるにつれ一層高まり、戦死したリラの兄ウォルターが書いた詩「笛吹き」が兵士たちの心をふるい立たせるものとなっていました。

モンゴメリはマクミランに宛てた一九一五年の手紙で次のように語っています。「現在の情況は、ドイツ軍がパリのすぐ近くの地点に達した頃の情況よりも危機的だという気がします。カナダまでが本物の戦火に包まれているように思われます。わたしたちカナダ人も事態の深刻さにやっと気付いたのです……いずれにせよ、わたしたちは、今、あらゆる重荷を伴って再びめぐってきた、戦いの厳冬の季節にいることは確かです」。

彼女がカナダ人として愛国心に目覚めながらも、戦況を冷静に見つめている様子が見てとれます。


『アンの娘リラ』の中では、分の悪いドイツ人のブライア氏はこう祈り語るのです。「この邪悪な戦争が終わりますように――西部戦線で殺戮《さつりく》を強いられている欺かれた軍隊が自分たちの非道行為に目覚め、間に合ううちに悔い改めますように――人殺しと軍国主義の道へとかりたてられた、ここに出席している若い兵士諸君は今のうちならまだ救われます」。

この不幸な反戦論者ブライア氏は、ドイツを目の敵にしている熱狂的愛国者に「この偽善者め！」とどなられ、力ずくではじきとばされてしまいます。やはり、モンゴメリは戦争そのものに反対するよりも、愛国心を支持する側に立っていたのかと思わせるシーンです。一九一八年四月七日のマクミラン宛ての書簡では、新兵徴募集会で、彼女が朗唱したのは、「もちろん愛国的なものです」と明かしていました。

しかし、村岡花子は「モンゴメリ夫人の戦争に対する憤りや平和愛好の熱情を、私たちは読み取りたい」とあとがきで述べていました。モンゴメリは、単に軍国主義、愛国心ばかりを物語るのではなく、反戦や平和を愛する心を忘れてはいないのだと、村岡花子は弁明しているのです。

モンゴメリは戦争に対するさまざまな見方や人びとの受け入れ方を多面的に描き出しているのだとも言えます。すなわち、物事には実像と虚像、表と裏の両面があるという考え方が、モンゴメリ特有の見方であり、この重要なシーンでもその一貫性のなさで混乱を招いているように見えます。

他方、モンゴメリは戦時中における女性の立場にも心を砕いていました。一九一七年の一二月に徴兵制の問題をめぐって選挙があり、「国じゅうが揺れに揺れたのです。もちろん徴兵制の問題でした。弟が兵士であるために、私にも選挙権があったのですが、興奮の波にすっかり飲み込まれてしまい」、モンゴメリはトロントに《遊説》に行き「選挙における婦人の役割」と題して二度演説をしたとマクミランへの手紙で明かしています。『アンの娘リラ』では、「スーザンのほうは、ブライア氏のようないまいましい反戦論者が投票でき、投票するというのに、自分にはそれができないとなると——煮えたぎる憤懣が言葉にあらわれた」とその間の状況を伝えています。

リラは「この大試合に女たちは参加することはできないのだ。女というものはただ家ですわって泣くほかないのだ」とみじめな気持ちに陥っていました。

そして戦況が不利になって来ると、「あたしが男で軍服を着て……西部戦線へいそいでいるのだったらいいのに！」と奮い立っています。しかし、実際はカナダではこの大戦中に徴兵制がしかれ、女性が初めて兵士として軍隊に採用されたそうです。一九一四年から一九一八年までの間に二〇〇〇人以上の女性が、実際の戦闘には参加しなかったものの、看護婦としてヨーロッパ遠征軍に加わったのでした。[*25] 村岡花子は『アンの娘リラ』のあとがきで「戦争の中の若い女性の気持ち、それがごく素朴に自然に出ています」と評価していました。確かに戦時におけるリラという若い娘の成長を描いたのが『アンの娘リラ』です。ただ、アンシリーズとしては、リラに焦点を当てるがあまり、アンの影はかなり薄くなってしまったことは否めません。アンこと、ブライス夫人は出征した息子たちへの心配でやせ細っていくばかりでした。

モンゴメリは、軍国の母よろしく、戦争協力においても常に女性の力を信じ、その役割を念頭においていたのだと考えられます。彼女は男性と女性の異なる立場、想いを描きながら、ことに弱い立場にいるリラのような少女や母なる女性を擁護し、励まそうとしているのでしょう。戦時下の家庭の窮乏、それぞれの家族の想い、戦争の真実などを描いた「少女小説」は類を見ません。私は『アンの娘リラ』は『赤毛のアン』にも匹敵する注目すべき作品だと思っています。

さて、ようやく、戦争が終結し、奇跡的に生還したリラの兄ジェムは、リラをこう諭します。「……古い世界は滅び、われわれは新しい世界を建設しなければならない。何年もかかる仕事だ。僕は戦争というものを十分見てきたから、戦争など起こり得ない世界をつくらなければならないことがわかった。われわれは軍国主義に致命傷を与えはした。——

しかし、まだ死んではいないし、これはドイツだけに限られたことでもないのだ。古い精神を追い出すだけでは足りない――新しい精神を導入しなくてはならないのだよ」。

モンゴメリは、ここではジェムの言葉を借りて、戦争を起こした軍国主義を反省を含めて批判し、新しい時代を建設的に築こうという気概を示しています（この忠告が現代の危うい世界情勢への警鐘であるとはだれが思ったでしょうか）。

ただ、モンゴメリは戦争が終わると、一九一九年一一月にマクミランへの手紙で、「ありふれた日常生活が恐ろしくなるほど、味気なく単調に思われたのです。新聞を開いても、どんな記事が出ているのかと不安に震えることもないわけですもの――終戦はありがたいことですが、なんと退屈なことでしょう!!」と不謹慎な言葉までもらしています。

情熱的なモンゴメリ家の血が騒いだかのような戦時の興奮がさめると、マクニル家の現実的で冷静な側面がすぐさま顔を出したのでしょうか。

モンゴメリの謎の死

一九一八年、終戦の最後の三か月間、カナダではスペイン風邪が猛威を振るい、モンゴメリも相次いで親しい身内を亡くしました。とりわけ生涯の親友だったいとこのフリード・キャンベルの死により、モンゴメリは悲しみに打ちひしがれていました。

加えて『赤毛のアン』の出版をめぐり、モンゴメリは一九二〇年にペイジ社を相手どり裁判を起こします。もともと出版するにあたり、彼女は印税契約を主張したのですが、叶いませんでした。さらにその後の作品『アンをめぐる人々』も不利な条件と不誠実なやり方で出版が進められたのです。「ペイジの経歴には、女流作家の扱いとなると、そういうことがいっぱいあるのです。……たいていの女性は何事にせよ法に訴えるよりは自ら屈してしまうものだ、と心得ていたのです」。

だが彼女は屈しませんでした。さらに『アンをめぐる人々』の出版をめぐり、勝訴するまで実に七年もの長い間闘い続けたのですが、マクミランの手紙にはめんめんとその訴訟のことを二度までも綴っています。

一方モンゴメリは、表向きの活躍とは裏腹に、すでに一九〇八年のマクミラン宛ての手紙で、たびたび「気がふさぐ」ことがあり、「とてつもなくひどい気分的な疲労を感じる」と告白していました。二年後には、それが神経衰弱によるものだったと明かしています。

実は、モンゴメリは四〇年近く続いた文通の相手にも、夫の病状については、本心を明かさなかったのです。それは彼女の自尊心か、虚栄心ゆえなのでしょう。そもそもこのマクミランとの文通は、年若い彼が、名をなした作家である年上のモンゴメリに、文学上のあるいは作家になるためのアドバイスを求める内容が主でした。長い年月の間に、モンゴメリのほうは、楽しげな旅行記風のものや人物交流録、あるいは時事問題と日常の些細な出来事を書き送っていました。それらは時には創作上の悩みを打ち明けていたとしても、いかにも活気に満ちた内容でした。モンゴメリは手紙の中でも、外に向ける仮面を外さなかったのです。

ですが、一九三八年のマクミランへの手紙では、夫ユーアンが陥る神経症的な憂鬱状態を、ついに洩らしています。「この前の冬には耐えがたい緊張と心配に絶えず悩まされ続けました。たくさんの心配事がありました――そのうちのいくつかは世間に語ることなどできず、胸に秘めて口を閉ざしておかねばならないようなものなのです」。

ユーアンの健康状態が悪化し、神経衰弱が高じて、その夏の二か月間、精神病で記憶を完全に失ったのです。モンゴメリの看病で快方に向かったものの、今度は彼女が坐骨神経痛で寝込むという悪循環に陥ってしまいました。おまけに愛猫の死や、一九三九年、ヒットラーがチェコスロヴァキアに侵攻したことなどに、彼女はひどく心を痛めていたのです。

しかも、『ストーリー・オブ・マイ・キャリア』[*26]の訳者あとがきによると、モンゴメリの二人の息子のうち長男チェスターは、大学工学部に入ったものの、留年を機に、転向して法律家をめざし、どうにか法科大学院を卒業したのですが、実のところ、その学費を稼ぐためにも、彼女は作品を書き続けなければならなかったようです。しかもその長男は浪費が絶えず、秘密裡に結婚した女性との間に子どもができ、あげくのはて別居、さらに女性関係が絶えませんでした。この悩みの種である長男のことも、それまで彼女はマクミランにさえ明かしていなかったのです。子育てに悩んでいたことを知られるのは、彼女の自尊心が許さなかったのでしょう。

第一次世界大戦後、二〇年を経てまたもや世界は不穏な情勢となり、相変わらずモンゴメリには緊張を強いる日々が続きました。長男チェスターは近眼のため徴兵検査ではねられ、自慢の息子スチュアートは医学生であったためすぐに入隊することはなかったものの、モンゴメリの心配は尽きませんでした。

以下は一九四一年一二月二三日、マクミランに宛てた最後の手紙です。

「親しい友よ……この一年間は絶え間のない打撃の連続でした。長男は生活をめちゃくちゃにし、その上、妻は彼のもとを去りました。夫の神経の状態は、わたしよりももっとひどいのです。わたしは夫の発作がどういう性質のものか、二十年以上もあなたに知らせないできました。でも、とうとうわたしは押しつぶされてしまいました。……あれやこれやのことに加えて、戦況がこうでは、命が縮んでしまいます。もうすぐ次男は兵隊にとられるでしょう。ですから、わたしは元気になろうという努力をいっさいあきらめました。生きる目的が全くなくなるのですから。……かつてのわたしを覚えていて下さい。そして今のわたしは忘れて下さい」。

この遺書とも言うべき手紙は、なんと痛ましく悲哀に満ちていることでしょう。

一九四二年四月二四日、「旅路の果て荘」と名付けられた最後の家で、モンゴメリはこの世を去りました。遺体はトロントから、かつて愛したプリンス・エドワード島に運ばれ、キャヴェンディッシュの共同墓地に埋葬されたそうです。小倉千加子は自殺説を唱えていましたが、真相は闇の中です。*27

女性として生きるには制約の多かったあの時代に、妻、母、作家として、モンゴメリは、疲れ果てた末に自死したように、私には思えます。

過酷な重荷を負った彼女の生涯そのものが、ジェンダーとの闘いだったと言えるのかもしれません。それだからこそモンゴメリは、彼女特有の「光と闇」のはざまで、ひたすら本心を隠し、時には世間に迎合したのでしょう。作品の中でも彼女はジェンダーの規範に抗うかと思えば、それを受容してみせ、抑圧された女性たちの反発を描きながら、女性らしさを賛美します。その矛盾した二面性は、男性優位社会に抵抗した、女性解放運動過渡期の時代に生じたジレンマではなかったでしょうか。


モンゴメリにとって救いは、次男のスチュアートが次のように母を讃えていたことでしょう。「……母の力の源泉は、こつこつと努力すれば芽が出るという確信だったのです。しかも、自らの人生において、一人の個人としても職業人としても、いささかなりとも誠実さを失わずに努力したのです」。

彼女は、一〇〇年も前に、少女たちへの不平等な扱いや、偏見、差別、さらには女性参政権や政治や戦争について書き続けました。文学的地位が低いとみなされてきた「少女小説」にあらゆる考え、想いを注ぎこんだのです。

モンゴメリは『赤毛のアン』の最後をこう締めくくっています。

「真剣な仕事と、りっぱな抱負と、厚い友情はアンのものだった」

「仕事」と「抱負」と「友情」を得ることは、アンだけでなくモンゴメリ自身が望んだことでもあったでしょう。

けれども「道にはつねに曲がり角がある」とモンゴメリは言います。

少女たち、そしてかつての少女たちには、人生の道が幾重にも曲がり、どんなに険しくとも、少女の頃のアンのようにひたむきに生きてほしいと、モンゴメリは願ったにちがいありません。それは時代のジェンダーに抗い迷走したモンゴメリが、後世の女性たちに託した希望だったのではないでしょうか。

註

はじめに

＊1 吉屋信子（一八九六年－一九七三年）一九二〇年代から一九七〇年代にかけて活躍した小説家。代表作は少女小説『花物語』、歴史小説『徳川の夫人たち』他。

＊2 中原淳一（一九一三年－一九八三年）挿絵画家、ファッションデザイナー、編集者。昭和初期に少女雑誌『少女の友』の人気画家として一世を風靡。女性誌『それいゆ』「ひまわり」などを刊行。

第1章

＊1 ノーマ・ジョンストン アメリカ人、児童文学作家、ストウ夫人の伝記も著す。作家以外にも女優，教師など種々の仕事に就く。

＊2 超越主義 超絶主義ともいう。一八三〇年代から五〇年代にかけて、アメリカニューイングランドのユニテリアン（プロテスタント教会の教派の一つ）の間で、エマソン、ソローらの論争に端を発して展開された、宗教、思想、文学全体にわたるロマン主義運動。

＊3 ラルフ・ウォールド・エマソン（一八〇三年－一八八二年）アメリカの思想家、超越主義の哲学者、作家、詩人、エッセイスト。無教会主義の先導者。

＊4 ルクリーシャ・モット（一七九三年－一八八〇年）社会改革活動家。ニューヨーク州セネカフォールズの会議で女性の権利を主張する「女性の権利宣言」を一八四八年七月二〇日に起草した。ルイザもこれを読んでいた。

＊5 ヘンリー・ディヴィッド・ソロー（一八一七年－一八六二年） アメリカの作家・思想家・詩人・博物学者。代表作『ウォールデン 森の生活』。

＊6 ナサニエル・ホーソン（一八〇四年－一八六四年） アメリカの小説家。マサチューセッツ州セイラム生まれ。清教徒的立場から罪悪と良心の問題を象徴的に描いた。代表作『緋文字』『七破風の屋敷』など。

＊7 エリザベス・ピーボディ（一八〇四年－一八九四年） アメリカの教育者で、ブロンソンの実験的な学校で助手を務め『ある学校の記録』を出版した。英語による幼稚園を開設。また自宅で書店を開き、進歩的な女性たちと議論を行った。

＊8 マーガレット・フラー（一八一〇年－一八五〇年） アメリカのジャーナリスト、評論家、超越主義の女性権利の活動家。急進的フェミニズムの代表といわれている。マサチューセッツ州ケンブリッジ生まれ。エリザベス・ピーボディの対話集会の幹事、講師を務めた。夫、息子と共に欧州から帰る途中、船が難破し死去した。享年四〇歳。

＊9 エドナ・ダウ・リトルヘイル・チェイニー（一八二四年－一九〇四年） ブロンソンは結婚前のエドナ・ダウ・リトルヘイルに恋したが、彼女は、画家のセス・チェイニーと結婚した。奴隷制度廃止論者、ニューイングランド女性参政権協会副会長。オルコットの伝記『ルイザ・メイ・オルコット、その生涯、手紙、日記』を著す。

＊10 『天路歴程』 イギリスの宗教作家ジョン・バンヤン（一六二八年－一六八八年）による寓意物語。「滅亡の市」を旅立ち、数々の試練を経て「天の都」にたどりつく巡礼者の姿を通して、信仰による魂の救済過程を描く。プロテスタントの間で最も読まれた宗教書。特にアメリカへ移住したピューリタンへ与えた影響は大きい。

＊11 ハリエット・ビーチャー・ストウ（一八一一年－一八九六年） ハリエット・ビーチャーはボスト

ン出身の奴隷制反対論者で、母はハリエットが四歳の時に亡くなった。父は再婚し、一八三二年一家は、奴隷制反対運動の中心地シンシナティに移住する。ハリエットはここで、先妻と死別した神学校の教授カルヴィン・ストウと一八三六年に結婚。二人には、七人の子どもが生まれたが、三七歳で赤ん坊をコレラで亡くし、四六歳で長男の急死に遭う。家計は苦しく、主婦として日々の暮らしに追われ、多忙を極めていた。小さい頃から本好きだったハリエットが文章を書き始めたのは、その原稿を売って家計の足しにしたかったからという。

＊12 『アンクル・トムの小屋』　逃亡奴隷法への抗議として、一八五一年ハリエット・ビーチャー・ストウによって書かれた黒人奴隷の生活についての物語。空前のベストセラーになった。

＊13 逃亡奴隷法　一七九三年と一八五〇年にアメリカ合衆国議会で成立した。南部から北部へ逃亡した奴隷を所有者に返すことを規定した。逃亡奴隷のトマス・シムズは逃亡奴隷法により、元の所有者に連れ戻された。

＊14 リンカーン大統領暗殺　南北戦争の末期一八六五年四月一四日、エイブラハム・リンカーン大統領は、ワシントンのフォード劇場で妻メアリーと観劇中、俳優のブースの弟に撃たれ、翌日死亡した。

＊15 『青鞜』　一九一一年（明治四四年）平塚らいてう、保持研子、与謝野晶子らが集って創刊し、女性解放を謳った。が、当時の社会通念とは相反していたため、激しい批判にさらされ、伊藤野枝が引き継いだものの一九一六年（大正五年）に廃刊となった。

＊16 村岡花子（一八九三年－一九六八年）　日本の翻訳家・児童文学者。モンゴメリやオルコットの作品を手掛ける。熱心なクリスチャン。市川房枝の勧めで婦選獲得同盟に加わり、日本の婦人参政権獲得運動に協力した。

＊17 エリザベス・キャディ・スタントン（一八一五年－一九〇二年）　アメリカの「女性参政権の母」

と呼ばれる。社会活動家、奴隷制度廃止論者。父はニューヨーク州の判事。弁護士のスタントンと結婚し7人の子をもうけた。クエーカー教徒で公民権運動の指導者であったスーザン・B・アンソニーと組み婦人参政権運動を進め、全米女性参政権協会の会長となる。

＊18 女性権利擁護運動　一九世紀後半から二〇世紀初頭にかけての第一期フェミニズム。リベラル・フェミニズムともいわれる。近代の平等の理念に基づいた人権概念を男性だけでなく、女性にも拡張することを要求し、主として女性参政権の獲得を目的として推進された（出典／ブリタニカ国際大百科事典より抜粋）。

＊19 サフラジェット　一九世紀末から二〇世紀初頭にかけて、英国でおこった婦人参政権運動の急進派をいう。エメリン・パンクハーストと娘のクリスタベルが一九〇三年に結成した女性社会政治同盟をさす。急進的で過激な運動を展開した。

＊20 婦人参政権獲得期成同盟　一九二四年（大正一三年）に結成、翌年、婦選獲得同盟と改称され、市川房枝、金子しげりなどが中心に活動した。婦人結社権、婦人公民権（地方政治への参政権）、婦人参政権の三案を議会に要求し続け、一九三〇年頃は最盛期となったものの、戦前には結実せず、戦中にやむなく解散した。

＊21 『女性の義務』　著者はフランシス・パワー・コブ。一八八一年に出版された。

＊22 『マサチューセッツの参政権の歴史』　ルイザは一八八一年にハリエット・H・ロビンソンの『マサチューセッツ州における婦人参政権運動』を出版するよう働きかけている。この三年後に『女性参政権の歴史』（全三巻、ニューヨーク、一八八四－一九二二年）が出ている。アメリカの女性参政権獲得運動の指導者スーザン・ブローネル・アンソニー（一八二〇年－一九〇六年）やエリザベス・キャディ・スタントン（英一八一五年－一九〇二年）らが著した。

＊23 平塚らいてう（一八八六年－一九七一年）　一九〇六年日本女子大学卒。在学中に森田草平との心

中未遂事件を起こした。女性文芸誌『青鞜』を刊行し、「元始　女性は太陽であった」を起草した。母性保護論争に加わる一方、一九一一年新婦人協会を結成、婦人参政権運動に尽力、後に奥村博史との事実婚で知られる。戦後は女性運動、平和運動に力を注いだ。日本婦人団体連合会会長。

＊24　与謝野晶子（一八七八年－一九四二年）　歌人、詩人。歌集『みだれ髪』が反響を呼び、与謝野鉄幹の新詩社に参加し、後に結婚。「君死にたまふことなかれ」の詩が有名。『源氏物語』の現代語訳を行った。婦人問題、教育問題などに関しても活躍。

＊25　山川菊栄（一八九〇年－一九八〇年）　今の津田塾大学在学中に婦人運動に目覚め、社会運動家の山川均と結婚。日本で最初の社会主義婦人団体を結成、マルクス主義の視点から母性保護論争を展開した。戦後は内閣の労働省婦人少年局初代局長。

＊26　『自分だけの部屋』　イギリスの小説家ヴァージニア・ウルフ（一八八二年－一九四一年）の著書。「女性が小説を書こうとするなら、おかねと自分だけの部屋を持たなければならない」という主張で知られる。

第2章

＊1　バーネットの生涯は、伝記作家アン・スウェイト著の『パーティーを待ちながら』に拠るものが少なくないが、翻訳本が入手できなかったので、各作品の訳者あとがきなどを参考にした。

＊2　外見至上主義（ルッキズム）　人を容姿の美醜によって評価し、身体的魅力に富む人とそうでない人を差別して扱うという考え方。外見に基づく蔑視を意味する。

＊3　ジェンダーバイアス　男女の性差や役割などについて固定的に刷り込まれた概念や偏見。

＊4　「ジェイン・エアとフェミニズム」杉村藍　名古屋女子大学紀要45号　従来のヒロインには当然であった容姿の美という要素を切り捨てたシャーロット・ブロンテの『ジェーン・エア』は昨今、フェミニズム批評家たちから歓迎された。ジェーンは、伝統的な女性のステレオタイプを壊した新しいヒロインとなったのである。

＊5　『本を読む少女たち――ジョー、アン、メアリーの世界』シャーリー・フォスター、ジュディ・シモンズ著　川端有子訳　柏書房

＊6　レディ「貴婦人のように気品のある優しい女の人」というニュアンスが残っており、家庭の中心にいて、夫を癒し、子どもを守るいわゆる「家庭の天使」のような存在と考えていたと『自伝』の訳註にある。しかも、この「レディ」はヴィクトリア時代に初めて成立した「家事労働をしない専業主婦」の姿で『自伝』の中で当時の子どもの眼を通して、活写されていると説明されている。

＊7　高貴な身分に伴う義務「貴族制度や階級社会のある英国では、権力や財産、社会的地位のある者には、それ相当の責任があると考えられており、慈善事業が盛んな理由である」と、『自伝』の註で説明されている。

＊8　父なき時代　成田雅彦著「父なき世界の感情革命」高田賢一編著『若草物語』所収

＊9　パンの神　ギリシャ神話に登場する羊飼いと羊の群れを監視する神で、半人半獣のような姿をしている。

＊10　アメリカ映画『秘密の花園』1993年製作　アニエスカ・ホランド監督、フランシス・フォード・コッポラ製作総指揮

＊11　『「秘密の花園」ノート』梨木香歩著、岩波ブックレット

＊12　『ジェンダー学への道案内』高橋準著、『アメリカの女性の歴史』シャーロット・パーキンズ・ギ

ルマン著、『社会的母性』山内恵著、「一九世紀ジェンダーイデオロギーにおけるジェンダー・人権・階級――一九世紀アメリカ女性文学を中心に」イ・ギョンラン著等を参考にした。

＊13　ルイザ・メイ・オルコットも実の妹エリザベスを「家族の天使」と呼んでいた。

＊14　ジェンダー研究者の大阪大学名誉教授の荻野美穂による解説。

＊15　クリスチャン・サイエンス　メリー・ベーカー・エディ（一八二一年－一九一〇年）によって一八七九年、アメリカのマサチューセッツ州ボストンに創設されたキリスト教系の新宗教。精神のみが実在し、病気も神への正しい思考によって癒されるという。今日、教会数三三〇〇、会員数二〇〇万人を超えるといわれている。

第3章

＊1　モンゴメリは幼い時から自然の美しさに心打たれ、空想を膨らませ、日記にも自然描写をきわめて微細に書きとめていた。それはバーネットの描く囲い込まれた都会の中の「秘密の庭」とも異なる自然への感応の仕方だった。

＊2　五〇年代の日本は外国の児童文学全集が刊行され、家庭に歓迎された。六〇年代の日本の児童書は、『ぼくは王さま』『くまの子ウーフ』などの幼年童話が主流だった。

＊3　小倉千加子（一九五二年－）　大阪生まれ。心理学者。著書に『セクシュアリティの心理学』などがある。

＊4　ハーレクイン・ロマンス　世界一〇〇か国以上で読まれているロマンチックな恋愛小説

＊5　「アンという名の少女」テレビドラマシリーズ　カナダCBCとNetflixの共同制作

＊6　斎藤美奈子（一九五六年－）　文芸評論家。二〇〇二年『文章読本さん江』で第一回 小林秀雄賞受

＊7　賞。他に『紅一点論』などがある。『挑発する少女小説』では『赤毛のアン』は、女の子らしさを肯定し、生存をかけた就活小説だったと特異な論説を展開している。

＊8　菱田信彦（一九六三年－）　川村学園女子大学教授。英米児童文学を専門とし、『ハリー・ポッターとイギリス階級社会』などの著書がある。

＊9　『赤毛のアン注釈版』W・E・バリー、M・A・ドゥディー、M・E・D・ジョーンズによる大量の注釈を東大大学院教授山本史郎が翻訳。他に山本の著書として『東大の教室で「赤毛のアン」を読む』、訳書に『女王エリザベス』などがある。

＊10　フレンチ・インディアン戦争　一七六三年のパリ条約により、イギリスはカナダとミシシッピー川以東の地域をフランスから獲得し、フランス勢力を新大陸から追放して覇権を確立したが、これがかえってアメリカ一三植民地の独立を招いた。

＊11　デイヴィド・カパーフィールド　一八四九年から一八五〇年にかけて、雑誌に月刊連載されたチャールズ・ディケンズの同名長編小説の主人公。

＊12　『L・M・モンゴメリ日記』　モンゴメリによれば九歳頃から日記を書き始めていたが、初めのものは消失した。現存するものは一八八九年一四歳の時から一九四二年六八歳までで、訳出されたものは一八八九年から一九〇〇年までの三冊のみである。

＊13　『運命の紡ぎ車』モリー・ギレン著。モリー・ギレンはオーストラリア生まれ。シドニー大学卒業後、カナダに在住し市民権を得た。モンゴメリに関する未発表書簡などを発掘し、モンゴメリの生涯を著した。

＊14　G・B・マクミラン　スコットランド在住の作家志望の青年。一九〇三年、文学仲間の紹介で二二歳の時からモンゴメリと文通を始め、一九四二年、モンゴメリが亡くなるまで三九年間続いた。その一部が『モンゴメリ書簡集』として翻訳されている。

＊14　「父の娘」　個人的な親子関係を超えて「父なるもの」の強い影響下にある女性を指す、心理学的な概念。

＊15　小倉千加子の『赤毛のアンの秘密』による。またVarious Authorsの文献には、孤児の少女たちの物語では、すでに母親が死んでいるので、娘たちに生理の何から何までを教えることはできなかった。それで、彼女たちは死ぬのではないかと思ったとある。

＊16　女子学生亡国論　一九六〇年代、女子学生増加を苦々しく感じた早稲田大学教授の暉峻（てるおか）康隆や慶応義塾大学教授の奥野信太郎・池田弥三郎らが、雑誌で面白おかしく展開して、物議をかもした。

＊17　『注釈版』461p、468p　当時のモンゴメリはなおも、祖父マクニルに対して憤りを感じていた。「あのような遺言のために、かの女には何一つ残されず、かの女と祖母は貪欲な叔父たちの言いなりにならざるを得なくなった。……もしもモードが男の子であったなら、あれほど愛していた家屋敷の相続人として選ばれたことは、ほぼ間違いない」。

＊18　ウィーバー（一八七一年―一九五五年）　モンゴメリと四〇年間近く文通をしていた、アルバータ州在住のイーフレム・ウィバー。一九六〇年に『グリーン・ゲイブルズ書簡集』が出版されている。

＊19　ヴァージニア・ウルフ（一八八二年―一九四一年）　イギリスのロンドンに生まれる。父は著名な文芸批評家レズリー・スティーブン。早くから父の影響を受けて一九一五年に最初の長編小説『船出』を発表。一九四一年、神経衰弱により自殺した。

＊20　「アメリカ・カナダにおける女性の第一次大戦参加と参政権獲得」高村宏子著

＊21　ネリー・マクラング（一八七三年―一九五一年）　カナダのオンタリオ州生まれ。一八九六年に結婚するも、義母の影響で禁酒運動、婦人参政権運動に参加。一九一六年アルバータ州に移り同州議会で自由党議員となる。一九二〇年イギリス領北アメリカ法にいう「人間（パーソン）」法の下

で女性の地位を確立した事件の「有名な五人」の一人で、勝訴した。作家としても活躍し、代表作は、『ダニーに種をまく』。

＊22 エメリン・パンクハースト（一八五八年－一九二八年）イギリスの戦闘的な女性参政権運動サフラジェット suffragette の代表者。夫リチャードは既婚女性財産法を起草した。娘のクリスタベル、シルビアと共に一九〇三年、〈女性社会政治同盟〉を結成し、破壊活動、ハンストなど過激な活動を展開し投獄されている。第一次世界大戦がはじまると戦争に協力。戦後はアメリカ、カナダに渡り一九二六年に帰国。一九二八年、イギリスで男女平等の選挙権が実現する一か月前に世を去った。

＊23 ホロウェイ刑務所　ロンドン北部のイズリングトン自治区にある女性を収容する刑務所。

＊24 第一次世界大戦　一九一四年七月二八日から一九一八年一一月一一日にかけて、連合国（イギリス・フランス・ロシアのちにベルギー・日本・アメリカ・中国などが参加）と中央同盟国（ドイツ・オーストリア・イタリアのちにトルコ・ブルガリアが加盟）との間で繰り広げられた世界大戦である。一九一四年六月のサラエボ事件をきっかけに開戦。一〇〇〇万人以上の軍人が動員され、史上最大の戦争の一つとなった。四年あまりにわたってヨーロッパの戦場を中心に激戦が続いたが、一九一八年一一月、ドイツの降伏によって終結。翌年のパリ講和会議でベルサイユ条約が成立した。

＊25 「アメリカ・カナダにおける女性の第一次大戦参加と参政権獲得」高村宏子著

＊26 『ストーリー・オブ・マイ・キャリア』水谷利美訳

＊27 モンゴメリの死については、長い間真相が伏せられ、小倉千加子は深刻な神経衰弱による服毒自殺であろうと推定しているが、二〇〇八年、冠状動脈血栓症が死因とする説が公表されている。

おわりに

私は、子どもたちが幼かった頃に、せっせと絵本を読んで聞かせました。私の小さかった頃に比べてさまざまな美しい絵本、味わい深い絵本が数多く出版されていて、絵本タイムは一日の終わりの楽しみでした。そのうち子どもたちが絵本を卒業しても、私自身は絵本から離れられなくなっていました。それが高じて『女が素敵な子どもの本』、『こんな絵本に出会いたい』、『100歳までに読みたい100の絵本』を上梓したのですが、この三冊の著作は、絵本や児童書の魅力を語るだけでなく、ある意図をもっていました。

私は次第に海外の絵本と日本の絵本では、女の子や母親の人物像がかなり異なることが気になってきたのです。女の子はかわいらしく、男の子はたくましく、家事が得意で優しいお母さん……。日本の絵本はジェンダーを肯定するような描き方が少なくありませんでした。それをそのまま、子どもたちに与えていいものでしょうか。批判するのではなく、私なりに納得のいく絵本を掬《すく》い取り紹介したのです。

本書では絵本ではなく、かつて愛読した海外の「少女小説」に絞って、ジェンダーの視点に立ち、女性作家の足跡を辿ることにより、作品に込められた思いをあぶり出したいと考えました。これまでフェミニズムに出会い、女性史を学び、区議会議員としての政治活動をする中で、ジェンダーへの関心がより強くなっていたからです。

さて、時代は変わり、今はジェンダーという言葉もフェミニズムもそれほど違和感なく受け入れられてきたようです。

それでも、世界経済フォーラムが発表した日本のジェンダーギャップ指数は世界一四六か国中一一六位（二〇二二年）であり、主要七か国では最下位となっています。特に経済・政治分野での男女格差は大きく、日本はまだまだ世界の中では遅れをとっています。いったいいつになったら日本はジェンダー平等の社会になるのでしょう。オルコットもバーネットもモンゴメリも政治への関心が強く、社会的な発言もひるみませんでした。私たちも臆することなく声を上げていくことが、停滞した現状を打破する鍵です。

また、内閣府が出した二〇二二年度の「男女共同参画白書」では結婚について、「結婚に縛られたくない、自由でいたいから」と、五割前後の女性が積極的には結婚したいと思わない、と答えています。ちなみに一九七〇年代、団塊世代の私や友人たちは二〇歳を過ぎるとすぐに「適齢期」でしたから、お見合いも盛んで、迷いもなく結婚に向かっていきました。「自由でいたいから」と結婚しなかった女性は少なかったと思います。そして高度経済成長期、男は仕事、女は家事・育児という性別役割分業意識が浸透していった時代に、私は主婦となり、加えて仕事もしたかったので、子どもを保育園に入れて働きました。

先の調査によると、現代の女性たちは「仕事・家事・育児・介護を背負うことになるから」結婚に消極的なのだ、と解説しています。

本書で三人の作家の結婚に対する思いにこだわって書いたのも、結婚がよくも悪くも、女性の自立や人生に大きな影響を与えるからです。オルコットは結婚するか、独身を通すかで思い悩んでいましたし、バーネットは離婚し再婚にも失敗、モンゴメリは結婚後、この女性としての重荷を背負い、力尽きたと思えるのです。

おおよそ一〇〇年も前の「少女小説」の作家たちは、今日の女性たちが今なお感じる抑圧やジェンダーへの抵抗観を先取りしていたといえるでしょう。しかも彼女たちはこつこつと原稿料を稼いで貧しい暮らしを支え、経済的自立を果たしました。周囲の無理解、批判に耐えながらも作家として成功し、女性差別の壁を破ったのです。

これからの女性は、自分の意志で結婚か独身かを、より選びやすくなることでしょう。それでも消極的にならざるを得ないのは、結婚相手がジェンダー規範に従う従順な女性をいまだに求めているからかもしれません。ジェンダー平等の考え方に立つパートナーと新しい形の結婚生活を築いてほしいと想います。

さて、新型コロナウイルスが世界中にパンデミックを起こし、日本も二〇二〇年から流行が顕著になりました。そのコロナ禍の無為な日々の中で、盟友三井マリ子さんから「児童文学とジェンダーというテーマで書いてみたら」と触発されました。それから、最終原稿が完成するまで三年あまり、私はまるで卒論を書くかのように没頭しました。その間、長年の友人稲邑恭子さん、柳川眞佐子さんと、リモートによる読書会「星草の会」を作り、意見を交換しました。また、小関恵さんは辛抱強く校正を手伝ってくださり、夫はパソコンのアシストをしてくれました。皆さまのお力添えに、改めてお礼申し上げます。

本書を書くにあたっては先人の著作のフェミニズム批評やジェンダー視点での作品解説

などを参考にさせていただきました。そこから多くの示唆を得られたのはもちろんのこと、本文中にも多々引用させていただいたことを深く感謝申し上げます。

最後に、今回も㈱亜紀書房編集長内藤寛様、㈱トライ取締役桜井和子様に出版の機会をいただかなければ、本書は世に出ることはできませんでした。心よりお礼申し上げます。

木村民子

二〇二二年一一月二六日、七四歳の誕生日に

作家たちが生きた時代

西暦年	1800　1850　1900　1950　2000
オルコット	1832 ⟷ 1888 1868『若草物語』
バーネット	1849 ⟷ 1924 1911『秘密の花園』
モンゴメリ	1874 ⟷ 1942 1908『赤毛のアン』
欧米での主なできごと	1776 アメリカ独立宣言 1789 フランス革命 1861-65 アメリカ南北戦争 1914-18 第一次世界大戦 1939-45 第二次世界大戦 《女性参政権成立》 1918-20 カナダ 1920 アメリカ 1928 イギリス 1944 フランス
日本での主なできごと	1853 ペリー浦賀来航 1868 明治維新 1894-95 日清戦争 1904-05 日露戦争 （1910-25）大正デモクラシー 1914-18 第一次世界大戦 1931 満州事変 1939-45 第二次世界大戦 1946 女性参政権成立

略年表

ルイザ・メイ・オルコット

＊＊＊ルイザの『日記』及び『ルイザ　若草物語を生きたひと』の巻末年表による。
オルコットは生涯五〇回近く住居を変えているが、省略した

1799年　父エイモス・ブロンソン・オルコット生まれる
1800年　母アビゲイル・メイ（アッバ）生まれる
1830年　ブロンソンとアビゲイル結婚
1831年　長女アンナ・ブロンソン・オルコット（ナン）生まれる
1832年　0歳　一一月二九日、次女ルイザ・メイ・オルコット生まれる
1834年　2歳　オルコット一家、ボストンに移る。父ブロンソン、テンプルスクールを開校
1835年　3歳　三女エリザベス（リジー）生まれる
＊エリザベス・ピーボディ『ある学校の記録』出版

1836年　4歳　父ブロンソン、『福音書についての子どもたちとの対話』出版
1840年　8歳　四女アビー（メイ）生まれる。一家はエマソンの誘いでコンコードに転居
1843年　11歳　一家は実験的家族共同体フルートランズに移る
1845年　13歳　一家はコンコードに移り、「ヒルサイド」に住む
1846年　14歳　ルイザ、初めて一人だけの部屋を持つ
1848年　16歳　ルイザ、新聞や雑誌に詩や小説を投稿。一家は再びボストンへ転居。母アッバは米国で初のソーシャルワーカーになる
＊ニューヨーク州セネカフォールズで初の女性権利集会が開かれる
1850年　18歳　一家全員が天然痘に罹る
1851年　19歳　ルイザの詩が初めて雑誌に掲載
1852年　20歳　アンナと自宅で学校を開く。母アッバ家政婦紹介所を開く
1854年　22歳　ルイザ『花のおとぎ話』出版
1855年　23歳　エリザベス、アビー猩紅熱に罹る
1856年　24歳　ルイザ、ボストンで家庭教師をしながら下宿
1857年　25歳　一家はコンコードの「オーチャード・ハウス」を購入し、移り住む

1858年　26歳　エリザベス二三歳で亡くなる

1859年　27歳　母アッバ、病気で倒れる。父、コンコードの学校教育長に任命される

1860年　28歳　アンナとジョン・プラット結婚

1861年　29歳　＊南北戦争勃発

1862年　30歳　ソロー死去。ルイザ、篤志看護婦に志願し、ワシントンの病院で働く

1863年　31歳　ルイザ、腸チフス性肺炎に感染。重篤になり、父と共にコンコードに戻る。『病院のスケッチ』を連載し、出版。アンナ、長男を出産

1864年　32歳　『一時間』を執筆したが出版されず。ホーソン旅先で死去

1865年　33歳　ルイザ、約一年間ヨーロッパ旅行に出る。アンナ、次男を出産

1867年　35歳　ルイザ、少女向けの本の執筆を依頼され、ボストンへ移る

1868年　36歳　『若草物語』第一巻出版

1869年　37歳　『若草物語』第二巻出版

1870年　38歳　『昔気質の一少女』出版。ルイザ、アビーたちとヨーロッパ旅行へ。アンナの夫ジョン・プラットが死去

1871年　39歳　『若草物語』第三巻出版。ヨーロッパ旅行から戻る

1875年　43歳　『八人のいとこ』出版
1876年　44歳　『花ざかりのローズ』出版
1877年　45歳　一家はアンナのためにソロー邸を購入し、転居。母アッバ亡くなる
1878年　46歳　アビー、一五歳年下の銀行家とロンドンで結婚
1879年　47歳　アビー、パリで女の子を出産。一か月後アビー三九歳で亡くなる
1880年　48歳　ルイザ、アビーの娘ルルを引き取る
1881年　49歳　ルイザ、婦人参政権クラブの設立に奔走
1882年　50歳　エマソン死去。父ブロンソン、脳卒中で倒れる
1883年　51歳　父の看護、町民会議の投票
1884年　52歳　ルイザ、極度の疲労のため執筆を禁じられる。「オーチャード・ハウス」を売却
1885年　53歳　ルイザ、精神療法を受ける。体調不良
1886年　54歳　『若草物語』第四巻出版
1887年　55歳　ルイザ、アンナの二男ジョン・プラットを養子にする
1888年　父ブロンソン、八八歳で亡くなる。三月八日、ルイザ亡くなる（五五歳）
1920年　＊憲法修正第一九条、女性参政権が認められる

フランシス・ホジソン・バーネット

＊主に『バーネット自伝』巻末年表による。記載年齢は、出来事が一一月二四日から一二月末までに生じた場合は、一歳ずれることになる

1844年　父エドウィン・ホジソンと母イライザ・ブーンド結婚
1846年　長男ハーバート・エドウィン生まれる
1847年　次男ジョン・ジョージ生まれる
1849年　0歳　一一月二四日、長女フランシス・イライザ・ホジソン、英国マンチェスターで生まれる
1852年　2歳　次女イーディス・メアリー生まれる
1853年　3歳　父エドウィン、三八歳で亡くなる
1854年　4歳　三女エドウィーナ生まれる
1861年　11歳　＊英国の綿花飢饉
1865年　15歳　米国に一家で移住、テネシー州の丸太小屋に住む

1866年　16歳　ノックスヴィル近郊の木造の家に移る

1867年　17歳　初めて出版社に原稿を送り、採用される

1868年　18歳　初めての作品『ハートとダイヤモンド』が雑誌に掲載される

1870年　20歳　母イライザ、五五歳で亡くなる

1872年　22歳　ニューヨークに移る。英国に一時帰国し、マンチェスターで一五か月間過ごす

1873年　23歳　眼科医スワン・バーネットと結婚

1874年　24歳　長男ライオネルを米国ノックスヴィルで出産

1875年　25歳　パリに一時移住

1876年　26歳　次男ヴィヴィアンをパリで出産

1877年　27歳　ワシントンD.C.に移る。『ロウリーんとこの娘っこ』を出版し、新進作家として注目される

1882年　33歳　過労による神経衰弱になる

1885年　35歳　『小公子』を連載し、翌年出版。ベストセラーとなる

1887年　37歳　『セーラー・クルー』を連載、翌年出版し、好評を博す。英国にも住居を持ち、米国やイタリアを往復する

1889年　39歳　米国ワシントンに大邸宅を購入
1890年　40歳　長男を世界旅行に連れていくが、パリで結核のために一六歳で死去
1893年　43歳　ロンドンに家を借りる。『バーネット自伝――わたしの一番よく知っている子ども』連載
1898年　48歳　夫スワンと離婚手続き、英国ケント州の古い館メイサム・ホールを借り執筆に励む
1900年　50歳　一〇歳年下の俳優スティーヴン・タウンゼンドと再婚
1902年　52歳　スティーヴン・タウンゼンドと離別
1905年　55歳　『小公女』出版。米国の市民権を得る
1908年　58歳　米国ニューヨーク州ロングアイランドのプランドームに土地を購入し家を建て庭を設計し、翌年移り住む。この頃クリスチャン・サイエンスに傾倒
1911年　61歳　『秘密の花園』出版
1924年　一〇月二九日、プランドームの自宅で亡くなる（七三歳）

ルーシー・モード・モンゴメリ

＊＊＊主に『「赤毛のアン」の島で』の巻末年表による

1874年　0歳　一一月三〇日、カナダのプリンス・エドワード島、クリフトン村（現在のニュー・ロンドン）で生まれる

1876年　2歳　一歳九か月のとき、母を結核で亡くす。キャヴェンディッシュの母の実家の農場で祖父母に育てられる。父ヒュー・モンゴメリは仕事のためサスカチュワン州に移住

1881年　7歳　キャヴェンディッシュ小学校へ入学

1882年　8歳　ネルソン家の兄弟が下宿する。このときの思い出を後に『ストーリー・ガール』に書く

1887年　13歳　父がメアリ・アン・マクリィと再婚する

1889年　15歳　日記を書き始める

1890年　16歳　父と暮らすためにサスカチュワン州・プリンス・アルバートへ行く。教師のマスタド先生につきまとわれる。作文がコンクールで入賞。詩が新聞に掲載される

1891年　17歳　義母と合わず、祖父母の家に戻る。父は町議会選挙に立候補したが、落選した

1893年　19歳　州都シャーロットタウンにあるプリンス・オブ・ウェールズ・カレッジに入学。二年の教員養成課程を一年で学ぶ

1894年　20歳　カレッジ卒業後、ビディファド村の小学校で教師となる

1895年　21歳　教師を辞め、秋からノヴァ・スコシア州ハリファックスのダルハウジー大学で特別コースの聴講生として英文学を学ぶ。『マリーゴールドの魔法』で初めて原稿料をもらう

1896年　22歳　再びプリンス・エドワード島に戻り、ベルモント村の小学校で教鞭をとる

1897年　23歳　ロウア・ベディック村の小学校で教師となる。この頃エド・シンプソンと婚約する

1898年　24歳　母方の祖父が亡くなる。ハーマン・リアードと恋に落ちる。エドとの婚約を破棄し、ハーマンとも別れる。祖母と暮らすために教師を辞め、キャヴェンディッシュに戻り、祖父の郵便局を引き継いで働く。かたわら作品を書き続け、雑誌に掲載される

1899年　25歳　ハーマンの死去を知る

1900年　26歳　父が亡くなる

1901年　27歳　原稿収入で生計を立てる。秋からハリファックスの新聞社で八か月間、記者兼校正係となる

1902年　28歳　祖母の世話をするため再びキャヴェンディッシュに戻る

1903年　29歳　この頃から英国では女性の権利獲得の運動でサフラジェットが活動する
1904年　30歳　『赤毛のアン』を書き始める
1905年　31歳　『赤毛のアン』が完成し、出版社に送るが、次々に送り返され、諦めて原稿を帽子箱の中にしまってしまう
1906年　32歳　ユーアン・マクドナルド牧師と婚約
1907年　33歳　『赤毛のアン』の原稿を再度出版社に送り、ボストンのL・Cペイジ社が出版を承諾
1908年　34歳　『赤毛のアン』出版。たちまちベストセラーになり、有名作家となる
1909年　35歳　続編『アンの青春』出版
1910年　36歳　『果樹園のセレナーデ』出版
1911年　37歳　祖母が亡くなる。ユーアン・マクドナルド牧師と結婚。新婚旅行で欧州を旅する。文通相手のマクミランと会う。帰国後、島からオンタリオ州に移住。『ストーリー・ガール』出版
1912年　38歳　『アンの友達』出版。長男チェスター・キャメロンを出産
1914年　40歳　ヒュー・アレグザンダーを出産するが、わずか一日で死去
＊第一次世界大戦勃発（～一九一八年）

1915年　41歳　『アンの愛情』出版。三男ユーアン・スチュアートを出産
1916年　42歳　詩集『夜警』出版。『アンシリーズ』の出版契約を巡り、ペイジ社に対し訴訟を起こす
1917年　43歳　自叙伝『険しい道』出版。『アンの夢の家』出版
＊カナダで一部の女性に選挙権が認められる
1919年　45歳　『赤毛のアン』を映画化。従姉妹フレドリーカ・キャンベルを亡くす。『虹の谷のアン』出版
1920年　46歳　『アンをめぐる人々』の出版をめぐり、出版社を相手に訴訟を起こす
1921年　47歳　『アンの娘リラ』出版
＊カナダで初の女性議員が誕生
1923年　49歳　『可愛いエミリー』出版。カナダの女性初の英国王立芸術院会員に任命される。この頃からユーアン牧師の神経衰弱が高じる
1925年　51歳　『エミリーはのぼる』出版
1926年　52歳　オンタリオ州ノーヴァル村へ引っ越す。『青い城』出版
1927年　53歳　『エミリーの求めるもの』出版
1928年　54歳　ペイジ社とのすべての訴訟が終結。英国首相のカナダ訪問時に面会。英国皇太子の園遊会に招待される

1929年　55歳　『マリゴールドの魔法』出版

1931年　57歳　『もつれた蜘蛛の巣』出版

1933年　59歳　『銀の森のパット』出版

1934年　60歳　共著『勇敢なる女性たち』出版

1935年　61歳　トロント・スワンシー地区の家を購入し引っ越す。大英帝国勲章を授与される。ユーアン、聖職を辞す。『パットお嬢さん』出版

1936年　62歳　『アンの幸福』出版。キャヴェンディッシュ一帯が国立公園となる

1937年　63歳　『丘の家のジェーン』出版

1939年　65歳　『炉辺荘のアン』出版。モンゴメリも神経衰弱となり、体調を崩す
＊第二次世界大戦勃発（〜一九四五年）

1942年　『アンの想い出の日々』を書きあげ、四月二四日、モンゴメリ死去（六七歳）。キャヴェンディッシュの墓地に埋葬される

主な参考図書

はじめに

『本を読む少女たち――ジョー、アン、メアリーの世界』シャーリー・フォスター、ジュディ・シモンズ著　川端有子訳　柏書房　2002
『フェミニズムがひらいた道』上野千鶴子著　NHK出版　2022
『女と絵本と男』中川素子編　翰林書房　2009
『少女小説ワンダーランド』菅聡子著　明治書院　2008
『ジェンダー学への道案内』高橋準著　北樹出版　2015
『フェミニズム』富山太佳夫編　研究社出版　1995

第1章

『若草物語』ルイザ・メイ・オルコット作　海都洋子訳　岩波少年文庫　上・2017　下・2019
『若草物語』オルコット作　谷口由美子訳　青い鳥文庫　講談社　続・2004　3・2012　4・2011
『ルイーザ・メイ・オルコットの日記――もうひとつの若草物語――』ジョーエル・マイヤースン、ダニエル・シーリー編　マデレイン・B・スターン編集協力　宮木陽子訳　西村書店　2008
『ルイザ　若草物語を生きたひと』ノーマ・ジョンストン著　谷口由美子訳　東洋書林　2007

『若草物語』オルコット作　麻生九美訳　古典新訳文庫　光文社　2017
『大人に贈る子どもの文学』猪熊葉子著　岩波書店　2016
『不屈のルイザ　ルイザ・メイ・オルコットの伝記』コーネリヤ・メイグズ著　吉田勝江訳　角川文庫　1964
『少女小説から世界が見える』川端有子著　河出書房新社　2006
『もう一度読みたい少女小説の世界』双葉社スーパームック
『アメリカの女性の歴史　自由のために生まれて』サラ・エマ・エヴァンズ著　小檜山ルイ、竹俣初美、矢口祐人訳　明石書店　1997
『若草物語　シリーズ　もっと知りたい名作の世界』高田賢一編著　ミネルヴァ書房　2006
『ハッリエット・B・ストー』村岡花子著　朝倉摂絵　童話屋　2004
『昔気質の一少女　下巻』オルコット作　吉田勝江訳　角川文庫　1990
『愛の果ての物語』オルコット作　広津倫子訳　徳間書店　1995

第2章

『小公子』川端康成訳　新潮文庫　2020
『小公女』畔柳和代訳　新潮文庫　2017
『秘密の花園』猪熊葉子訳　福音館書店　1984
『ひみつの花園』山本藤枝訳　岩崎書店　1986
『バーネット自伝――わたしの一番よく知っている子ども』フランシス・ホジソン・バーネット著　松下宏子、三宅興子編訳　翰林書房　2013

『大人のための児童文学講座』ひこ・田中著　徳間書店　2005
『「秘密の花園」ノート』梨木香歩著　岩波ブックレット　2017
『白い人びと』フランシス・バーネット作　中村妙子訳　みすず書房　2013

第3章

『険しい道』モンゴメリ自叙伝──『赤毛のアン』が生まれるまで──　L・M・モンゴメリ著　山口昌子訳　篠崎書林　1988
『ストーリー・オブ・マイ・キャリア──「赤毛のアン」が生まれるまで──』L・M・モンゴメリ著　水谷利美訳　柏書房　2019
『L・M・モンゴメリの日記Ⅰ』（1889－1894）M・ルビオ、E・ウォーターストーン編　桂宥子訳　篠崎書林　1990
『モンゴメリ日記　十九歳の決心』（1893－1896）メアリー・ルビオ、エリザベス・ウォータストン編　桂宥子訳　立風書房　1995
『モンゴメリ日記③　愛、その光と影』（1897－1900）メアリー・ルビオ、エリザベス・ウォーターストーン編　桂宥子訳　立風書房　1997
『モンゴメリ書簡集Ⅰ　G・B・マクミランへの手紙』（1903－1941）F・W・P・ボールジャー、E・R・エパリー編　宮武潤三、宮武順子共訳　篠崎書林　1981
『運命の紡ぎ車　L・M・モンゴメリの生涯』モリー・ギレン著　宮武潤三、宮武順子共訳　篠崎書林　1979
『「赤毛のアン」の島で　～L・M・モンゴメリ～』奥田実紀著　文渓堂　2008

『旅路の果て――モンゴメリーの庭で』メアリー・フランシス・コーディ著　田中奈津子訳　講談社　2001
『名作を書いた女たち』池田理代子著　中公文庫　1997
『誰も知らない「赤毛のアン」背景を探る』松本侑子著　集英社　2000
『赤毛のアン　注釈版』L・M・モンゴメリ著　W・E・バリー、M・A・ドゥーディ、M・E・D・ジョーンズ編　山本史郎訳　原書房　2014
『「赤毛のアン」の秘密』小倉千加子著　岩波書店　2014
『快読「赤毛のアン」』菱田信彦著　彩流社　2014
『100分de名著　モンゴメリ　赤毛のアン』茂木健一郎著　NHK出版　2018
『挑発する少女小説』斎藤美奈子著　河出書房新社　2021
※本文のテキストとして新潮文庫・村岡花子訳を引用した。

木村民子（きむら・たみこ）

1948年、東京都に生まれる。お茶の水女子大学卒業。書籍編集、雑誌記者等を経て、損保会社の企画・運営に携わり、1999年文京区議会議員を2期務める。2013年から和洋女子大学非常勤講師となり、「家族と福祉」を5年間教える。NPO法人高齢社会をよくする女性の会理事、NPO法人女性サポート大阪理事、日本国際児童図書評議会（JBBY）会員。絵本研究をライフワークとして「大人向き絵本講座」を各地で講演。主な著書に『こんな絵本に出会いたい』『100歳までに読みたい100の絵本』（亜紀書房）などがある。

少女小説をジェンダーから読み返す

――『若草物語』『秘密の花園』『赤毛のアン』が伝えたかったこと

2023年4月1日　第1版第1刷発行

著者　木村民子

発行者　株式会社亜紀書房
〒101-0051
東京都千代田区神田神保町1-32
電話（03）5280-0261
振替 00100-9-144037
https://www.akishobo.com

装丁　たけなみゆうこ（コトモモ社）

印刷・製本　株式会社トライ
https://www.try-sky.com

Printed in Japan
ISBN978-4-7505-1788-9 C0095